イチロー・インタヴューズ

石田雄太

文春新書
749

イチロー・インタヴューズ◎目次

Ⅲ 栄光 2006〜2007

Ⅳ 結実 2008～2010

まえがき

パスポートをめくってみた。

二〇〇一年、イチローがメジャーリーグでプレーするようになってから、アメリカへの入国スタンプがいくつ押されているのか、数えてみようと思ったからだ。

この十年で、一〇二個。

もちろん、そのほとんどがインタヴューなしの取材だった。では、インタヴューもせずに日本とアメリカを百往復もしてきたのはなぜだったのか。この目にイチローのプレーや日常の何気ない仕草を焼きつけ、彼の試合後のコメントや普段の言葉を心に刻みつけようとしてきたのは、いったいなぜだったのか。それは、すべてがイチローにインタヴューをするために欠かせない、準備になるからだった。

まるで禅問答のようだ、と言われたことがある。

イチローとのインタヴューに何度も同席した、あるカメラマンの言葉だ。このインタヴューのやりとりがいったいどんな原稿になるのか、想像もつかないというのである。

そうかもしれない。

なぜならそのやりとりには、インタヴューをするまでに行ってきたイチローの取材を通じて、彼に共有することを許された時間と空間が前提として存在しているからだ。あの日、あの瞬間の、イチローのプレー、仕草、言葉……そういう具体的な事実を聞き手として知っておく。イチローもまた、聞き手がそのことを知っていると承知している。だから、たとえばある疑問についてイチローの意図を訊ねると、言わずもがなの前提は省略されて、彼の言葉は紡《つむ》がれる。そうなると、傍《はた》で聞いている人にはさっぱりわからないということになる。

だからこそ、いよいよイチローにインタヴューをするという日の前夜は、気持ちが高ぶる。

まず愛用している掌《てのひら》サイズのノートに、そのときのテーマと、日付、場所を書き入れる。そしてテーマに従い、一時間の場合は四つの小見出しを掲げる。さらに、小見出しごとに五つの質問を考えてみる。そうすると、質問は全部で二十になる。一時間あれば、一つの質問について三分のやりとりが可能になる。こうして、インタヴューの全体像をイメージしておく。

イチローがやってくる。彼はジッとこちらを見据える。最初の質問を切り出す。曖昧《あいまい》な語尾は禁物だ。訊きたいことがあっても語尾の方向性が少しでもずれると、思わぬ方向から答えが返ってきてしまうことになる。彼の答えに反応して、できる限りノートに視線は落とさずに、質問を重ねる。イチローが、言葉を探すために熟考する。それが十秒でも、一分であっても、彼が考えている間は口を挟んではならない。もちろんその間、視線は外せない。じっと待っていれば、答えは必ず返ってくる。

返ってきた答えは、自分だけの宝物だ。

なぜなら、世界中でこのイチローの言葉を聴いていたのは、一人だけなのだから。

ここに並べたのは、二〇〇〇年、イチローがメジャーに挑戦することが決まってから、雑誌『Number』等に綴った三十編のインタヴュー記事である。こうして全編を通して読んでみると、イチローからもらった宝物を、読む人にナマのまま届けるという作業には、とてつもなく重い責任が伴っているのだと、改めて痛感させられる。

この十年で変わった言葉、変わらない言葉──イチローに、自分がカッコいいと思うところがあるとしたら、どんなところかと訊いたことがある。イチローはこう言った。

「世の中に流されないところと、逃げないところかな。どんな結果に対しても、僕はそれを受け入れる。失敗した時の自分の立場が怖いからといって、変な理由づけはしません。だから僕の発している言葉にウソはないはずです」

イチローの言葉にウソはない。

そのカッコよさを、この『イチロー・インタヴューズ』で、ぜひ確かめて欲しい。

©Naoya Sanuki 2001

「どうせなら、ユニフォームのカッコいいところがいいな」

［緊急エール］イチロー「第二章のはじまり」Sports Graphic Number 509/NOV 2000

イチローはメジャーで通用するのかと何度も訊かれた。イチローも街で「恥かくなよ」と声を掛けられ、成功と失敗の二者択一でしか語ろうとしない世の価値観に困惑していた。ついに開かれた夢への扉――しかし日本の生んだ〝天才〟が、メジャーでどのくらいの存在感を示すことができるのか、誰もがまだ疑心暗鬼だった。2000年の秋、神戸で行われた日本球界でのラストゲームを入り口に、メジャーでのイチローをイメージしてみた。

彼は、意外に気の小さい、不思議とかわいい一面も持ち合わせている。

「そりゃ、イチローコールもないのに、わざわざ出てはいけないですからね」

ちょっぴり拗《す》ねた口調で、イチローは言った。もしもスタンドからイチローコールが自然発生的に起こらなければ、グラウンドに出てファンに挨拶することができないと、彼はそんな余計な心配をしていたのだ。そんなこと、ありえるはずはないのに、心配そうに苦笑いを浮かべながらイチローは、こう続けた。

「反対にカエレコールされちゃったりして」

クールに振る舞ってはいるが、実は気持ちのやさしい、ナイーブな男でもある。グラウンドに立って戦闘モードのスイッチをオンにしている時は、常に「イチロー」という分厚い仮面をかぶり、決して心の奥底を覗《のぞ》かせることのなかった彼が、この日ばかりは心からの笑顔を浮かべ、サングラスを外して、彼独特のキラキラした綺麗な目を周囲に晒《さら》してはしゃいでいた。ついにメジャーに挑むことができる喜び、戦うというよりはファンに別れを告げるためのグラウンドだという安堵感、そして最後の神戸を目に焼きつけておきたいという前向きで純粋な気持ちが、イチローを包む光を和らげていたのだろう。

２０００年10月13日、満月が見守る夜のグリーンスタジアム神戸。これが最後のオリックスのユニフォーム姿になるであろうイチローのラストゲームは、最終回の守りについたイチローを大歓声が包んで、フィナーレを迎えようとしていた。イチローを育んだ神戸のファンは、ここから世界へと羽ばたいていくスーパースターを、心からの拍手で送り出そうとしていた。試合終了、そして期せずしてわき起こった、イチローコール。

あの一瞬、ベンチ裏でイチローが浮かべた、嬉しそうな、照れくさそうな、はにかんだ笑顔が忘れられない。ほら、イチローコール、やっぱりあったじゃないか——。

冗談交じりに口にした言葉だったとはいえ、イチローはどこかで神戸のファンが温かく送り出してはくれないかもしれない、と本気で心配していた。そう感じたのは前日の記者会見だった。神戸のファンについて話し始めた時の、あの沈黙……イチローは、FAまで1年を残した来季からメジャーに移ることを神戸のファンがどのくらい理解してくれるのか、それをもっとも心配していた。

しかし、「この球場には、ホンモノの野球ファンが多かった」（イチロー）という神戸のファンは、イチローの決断に大きな拍手を浴びせてくれた。ホンモノがホンモノを求めるその志に、理屈など必要なかったのだ。7年連続首位打者を獲得した史上最高のヒットマン、イチローが、神戸からもっと広い世界に旅立つことに異を唱えるファンは、思うよりずっと少なかった。それが送り出されるイチローにとっては、何よりも嬉しい餞別《せんべつ》となっていた。だからこそ、試合後のイチローは駐車場を取り囲んだファンのもとに歩み寄ってまで、感謝の気持ちを伝えたのだ。

それにしても、ファンにもメディアにもずいぶん電撃的だった今回のポスティングシステムによるメジャー移籍。突然だっただけに、その背景には何かあるのではないか、という邪推がずいぶんなされた。しかし、事実は一つだ。イチローのメジャーに憧れる純粋な思いと、周囲に対してとってきた真摯《しんし》な態度が、現場の仰木彬監督の心を動かし、オリックスの岡添裕球団社長の男気を呼び覚まし、どうせなら一年でも早く行かせてやろうという空気につながった――これがもっとも核心をついた今回の流れだった。もちろんビジネスで動く以上、そこに損得の勘定は働いて当然なのだが、もともと今年か来年か、どちらが得で、どちらが損だと明らかに決めつけられる話ではないのだ。一長一短ある中で、基本的には一年でも早く、というところをスタート地点において一気に話を進めたことは、実に評価に値することだったと思っている。

しかも、ＦＡまで1年を残したこのタイミングでメジャーに挑むことは、彼のためにも最高だった。なぜならＦＡを獲得することがわかっているラストイヤーの1年間というのは、イチローにとってはあまりに辛い時間になったはずだからだ。もし今回の移籍が実現しなかったとしたら、来季のオフは間違いなくアメリカへ行くということが世間の共通認識となり、数字を残しても残せなくても、暗黙のうちにそのことと結果が結びつけられてしまったことだろう。

「どうせメジャーに気持ちが行っちゃってるんだよ」……ファンもマスコミも、極端な話、チームメイトもそんなふうに思ってしまったかもしれない。

イチローは、結婚する時も、それで成績が下がったら関係のないことまで言われてしまうということを気にしていた。だからといって、トップを走り続けている彼に求められているレベルは半端なものではない。首位打者すら獲って当たり前という苦しさ。しかし言うまでもないことだが、首位打者は当たり前のように獲れるタイトルではないのだ。イチローは、必死の思いでこのタイトルをつかみとってきたのである。だからこそ、FAという余計なことが囁《ささや》かれる中、日本でのプレーを続けていたら、イチローは本当に苦しい1年間を送らなければならなかったはずなのだ。

「天才、言うなっ」

テレビを見ていたイチローが突然、画面に向かってそう呟いたことがあった。彼のことが語られる時には、当たり前のように「天才」という冠が被せられる。しかし彼は、自分自身のことを天才だとは思っていない。

「別に、そうは思わないですね。それだけのことをやってきたわけですから」

イチローがサラッと言ってのけた「それだけのこと」――この言葉に詰め込まれた深い思い。

野球に関しては、子どもの頃から誰と比べることもできないほど別の次元で練習を重ねてきた。イチローにしてみれば、そんな日々を、天才という一言で安易に括《くく》られることに違和感を覚えるのだろう。練習量と質を問い続け、己を鍛えて、技を磨き抜いた現代の最高傑作、イチロー。スッと立った立ち姿はあまりに艶《あで》やかだが、実のところはトコトンまで自分を追い込み、喉元に切っ先を突きつけたギリギリの緊張感を携えた、そんなオーラを身にまとっている。だからこそ、彼は誰もが通ることを許されなかった未知の領域へ足を踏み入れることを許されたのだ。日本人野手として初めてメジャーリーグの舞台に立つイチロー。来るべき時は、来た——。

では、イチローはメジャーで通用するのだろうか。こう聞かれるたびに、当たり前じゃないか、なぜ通用しないと思うのか、逆に聞いてみたくなる。そういう時に出てくる声は決まって、パワーがない、苛酷なスケジュールを戦うスタミナがない、メジャーで3割5分も打てるわけがないという思い込み……。

もちろん、イチローはメジャーでも十分に活躍できる。その根拠は、十分に揃っている。パワー不足というのは、おそらく昨春のシアトル・マリナーズのスプリング・トレーニングに参加した時の結果を憂えてのものだろう。確かに向こうでの6打席、引っ張った打球は皆無だった。しかしイチローにとって、パワー不足を言われることは、ある意味では一番心外なのではないか。実は、バッティングにおけるイチローのテーマはずっと変わっていない。それは、いかに強い打球を打てるか、ということ。体の力をすべてボールに乗せて、ボールを強く叩く──類《たぐ》い希《まれ》なバランスが生み出す打球は、パワーという尺度による次元をはるかに越えた力強い弾道を描く。パワーという言葉では括れないバランスのとれた力強さが、彼には備わっているのだ。

「あんなもので評価されても、困りますよね。6打席で何を言われても、あそこで全部ホームランを打ったとしても、それだけで評価されては困る、ということです。僕はもともと日本でもパワーで勝負してきたわけではないですし、すべてにおいて、バランスが武器ですからね。むしろ、そうやってパワーがどうのこうのと言われることに惑わされて、自分がムキになることの方が怖いですよ」

イチローのバッティングフォームが、幾度となく変わってきたことは周知の通りだ。振り子といわれた黎明《れいめい》期のフォームから、スタンスを変え、足の運びを変え、体の使い方は大きく変わってきた。この試みはすべて、打球を強く弾くための模索なのである。イチローは、打席での感覚を磨くと同時に、その感覚を実践するための肉体も磨いてきた。体に力がつけば、そのパフォーマンスの形も変わってくる。振り子が消えたのは、振り子のように大きな体重移動をしなくても、より大きな力をボールにぶつけることが可能になったからだった。それは、そういうワザと肉体を手に入れつつあるからこそ、できるのである。

「今思えば、昔の振り子のような打ち方では向こうのピッチャーに対してうまくタイミングが取れなかったかもしれないですね。結果的には今の動きの方が上体だけでパッと投げてくるピッチャーには対応できますからね」

同じ野球でも、メジャーと日本にはいろんな違いがある。アメリカに多い上体の力に頼るピッチャーの場合、振り子のように長い間《ま》でタイミングを取っていては間に合わない。今のように、小さい動きの中で体の力を一カ所に閉じこめて、一気に開く――ここでは概念だけに止めておくが、イチローの感覚ではそういうフォームで打っている今の方がはるかにあらゆるタイミングに合わせやすい、と言うのである。そしてストライクゾーンに関しても、昨季からすでにメジャーを意識して、意図的に外のボール球を打ちに出ている。

「シーズン中も、僕にはシュートやシンカーなど、外の攻めがもともと多いですから、意識を外に置いて、センターから左に持っていくということはやっていました。真ん中から内側は体が勝手に反応してくれますから、外にだけ意識を置けば大丈夫なんです」

移動の日程や時差に関しては、「未知のことなのでやってみなければわからない」と言ったイチロー。しかし、かつてロッテにいたフランコから「階段を昇ったり降りたり、日本の移動の方がよっぽど大変だ」と聞いたこともあるそうで、チャーター便を使って全米を移動するのも慣れれば大丈夫なのかもしれない、という思いもある。確かに食事や体のケアなど、イチローが日本で気遣ってきたことは多岐にわたっているが、彼の精神と肉体は、見た目の華奢《きゃしゃ》なイメージとは違って、実に屈強なのだ。ともに渡米する弓子さんと二人で今のような生活リズムを早々に築ければ、慣れるのも案外早いのかもしれない。

準備は万端、あとはイチローがどこのチームへ行くことになるのか。メジャーでは、日本の7年連続首位打者がどれほどのものか、レギュラーを争う選手や相手投手、果ては審判やマスコミまでが、お手並み拝見とばかりに手ぐすねひいて待っている。そんな中、最初から結果だけを求めるのは早計過ぎる。慣れるまでは打率は低くても構わない。ただ、日本で3割5分のカベを破れたバッターなら、アメリカでも同じ3割5分のカベを突き破ることはできるはずだ。3割を打てるだけのバッターは、日本だろうがアメリカだろうが、3割を打てるだけのポテンシャルは備わっている。イチローがすでに突き破っているのは、3割5分のカベ。あわや4割も、という領域のバッターなのだ。1年目は低打率にあえいだとしても、3年やれば、メジャーでも平均3割5分。この打率は十分に実現可能な数学なのだと思う。

「どうせなら、ユニフォームのカッコいいところがいいな」

イチローは、あのキラキラした目で、そう言った——。

「向こうに行くことが夢じゃないですから」

［越境者の真実］イチロー「揺るぎなきプライド」Sports Graphic Number 514／JAN 2001

撮影のため、黒のセーターを着たままのイチローが、右手に持ったバットを高々と掲げた。その瞬間、部屋の中を風が吹き抜けたような気がした――マリナーズへの入団が決まった直後のイチローは淡々と、自信に満ち溢れた言葉を紡いでくれた。ちなみにこのときのイチローが最後に「しなやか」という言葉を使ったのは、２０００年秋、長野県知事に初当選した田中康夫氏が「しなやかな県政」と掲げ、話題になっていたからだった。

僕はね、４年間メジャーに行きたいって言い続けてきて、何も変わってないんです。行きたいと思った動機は確かに少し変わってるけど、行こうという思いは何も変わってない。ただ、僕以外のところがいくつか変わったわけで、それは岡添（オリックス球団社長）さんと（仰木）監督が、うんと言ってくれたから、ＦＡを待たずに今年行けることになった、ということなんですよね。

契約の瞬間は、やっぱり引き締まった感じはしましたよ。メジャーのグラウンドに立つ、ということですからね。世界中の才能を持ったプレイヤーたちが集まってる場所ですから、同じグラウンドレベルに立てるということは野球選手にとってこの上なく大きなことじゃないですか。最大の武器？　それは、何かにトライをしていこうとしている自分がいる、ということです。自分では、向こうで今ある状態を出してみたい、という感覚なんです。今の僕の現状ではもっと上は見えてこないですからね。

最初、メジャーに行きたいと思ったのは、何年前かな。もう4年半くらい前ですかね。迷い続けて、どうしようもなくて、どん底にいる自分が必死になって探し求めていたものがなかなか見つからなくて、じゃあ、どうすれば見つかるんだ、と思って考えた時、環境を変えることしか見つからなかったんです。特に意識したとなると、'96年の日米野球ですかね。ヤツらのスウィングを見ていると、今の一打席をものすごく大事にしてバットを振っている感覚があるわけですよ、何の迷いもなく……。何かこう、自分がやりたいスタイルって本当はああいう感じだったのに、いつの間にか殻に入ってしまったというか、なんか自分が小さく見えてね。自分でもそういう感覚って失ってたわけじゃないんだけど、それほど強くなくなっていたんでしょうね。あぁ、いいなぁ、って思いましたよ。

だから最初に行きたいと思った時は、今いる自分を試す、という感覚ではないですね。でも今は、今あるものをぶつけたい、そういう感じなんです。力を出すことができて、それでダメならどうしようもないでしょう。能力を出せずにね、ダメだというのは気分の悪いことですけど、出せたんであればね、それは気持ちがいいですよ。

イチローの能力をわかりやすく表そうとすれば、日本での7年連続首位打者、通算打率3割5分3厘という、歴代の大打者と比べても次元の違う傑出した数字を使いがちだ。しかしイチローのプライドは、そんなわかりやすい次元にはない。彼の自信は相対的な結果からもたらされたものではなく、ここまで培ってきた過程が支えているものなのだ。イメージの中に見え隠れする理想を追い求めて苦しんできた、その過程――そういう意味からもイチローのレベルは日本の中で突出していた、と言えるのである。

うーん、やっぱりそうだったのかなぁって思うことはありますよ。あとから振り返れば、7年連続というのはおいといても、要するに自分の力が出せない状態でも数字は残るってことですからね。

でもね、日本で成績を残したという意識ではなくて、この野球界に限らず、どの世界でもそうだと思いますけど、自分のできることをとことんやってきたという意識があるか、ないか、そういうことだと思うんですよ。そんな自分がいること、それを継続できたこと、そこに誇りを持つべきではないでしょうか。

だから、首位打者を獲ったとか獲らないとかということじゃなくてね、2割5分の選手であっても、自分のできることを、まぁ、完璧には無理でも意識の中でできてきた人間であれば、それは適当にやった3割5分の選手よりもプライドを持って相手に立ち向かえると思うんですよね。どっちが人間として優秀かといわれると、決して適当にやって3割5分を残した方じゃない、と。

よく、通用するとか、しないとか、必ず言うじゃないですか、みんな。何言ってんだと思いますね。とても悲しい気持ちになります。野球に限らず、新しい世界に挑戦しようとしている人間に対して、通用するのか、って……どういうことなんですかね。

なぜ日本の選手に対しては短所を探す傾向があるのに、向こうの選手に対してはその逆なんですかね。メジャーという、ものすごく大きなイメージのところから来た人間に対しては、ものすごい評価をするでしょう。で、こっちでやった人間があっちに行くときというのは、子供のような捉え方をしてものすごく小さくするじゃないですか。みんな、よっぽど日本の野球って大したことないって意識なんだなぁと思いますよね。

日本のプロ野球ももっと自信を持っていいと思うんです。もちろんそうでないところもあると思いますよ。もっともまずいと思うところは、ファンからの見られ方を意識してないところ。ストライクだと思った球をキャッチャーがあからさまにひっくり返ってみせたり、審判を振り返ったり……みっともないですよ。あんなの見て、ファンの人は気持ちいいとは思わないでしょう。すごく気分が悪いですよ。そういうところは改めたいと思ってやってきましたけど、意識の問題は個人の力ではどうにもならないですからね。逆に誇れるところは、細かいところじゃないですか。緻密さ。日本人が頭を使ってやってきた野球というのは、あっちにもひけをとらないと思うんです。それは力とか、そういう違いをカバーするために自然と身につけていったものなんだと思いますけどね。

これは僕の感覚でしかないんですけど、見えてないところの意識というのが、日本とアメリカの大きな違いだと思います。見えてないところというのは、ヒットなしでも点をとれる野球、というところですよね。そういう意識はメジャーにもあるとは思うんですけど、日本の方がより強いのかな、と。守備にしてもあっちの選手の動きを見てたら、とても研ぎ澄ました意識を持ってると思えないですよね。内野は別ですよ。外野手の動きを見てたら、おいおい、草野球のオッサンかよ、という動きをするヤツ、いるじゃないですか（笑）。反応の鈍いこと。打った瞬間、体がパッと反応しないで、ジッとそのまま（苦笑）。でも、そこから動き出しても大丈夫なんですよ、ヤツらは身体能力が高いからね。こっちはその分、そういう目に見えにくい部分を武器にしてやっていかないとね。日本でプレーしてきたことというのは、僕にとっていちばん大きなものなんですから。

振り子を代名詞のように使われるイチローだが、その打ち方はずいぶん変わってきた。右足の上げ方は年々小さくなり、体の使い方は大きく変わっている。この変化は〝進化〟だと言われてきたが、実際のところは少し違う。イチローの言葉を借りれば、それは〝試行錯誤〟の末の変化だった。何のための試行錯誤だったのか。イチローは常に、飛距離に拘《こだ》わらず、「少しでも早く地面にたどり着く」打球をイメージしている。ライナー性の打球が失速せずに飛んでいく、もちろんどこまでも遠くへ飛んでいくに越したことはない、そういう贅沢なイメージ。そのためには、少しでも強くボールを弾かなければならない。強く弾かれた打球は、速く、遠くへ飛んでいく。イチローは、そのための感覚を探し続けてきた。

ところが、まともに勝負しようという投手が減るにつれて、イチローの中からボールを強く弾ける感覚が薄れてきてしまった。ヒットを打っても気持ちが晴れない。結果としての首位打者という名誉を欲しがるバッターならそれでもよかった。しかし、強い打球を打ちたい、というバッターとしての本能を満たしたいイチローにとってはそれがストレスとなり、本人が「どん底」と語るほどの精神状態に追い込まれていったのである。

そして'99年4月、一本のセカンドゴロを打った瞬間、ようやく探していた感覚を見つけたのだと言ったイチロー。この後の2シーズン、イチローは自信を持って打席に立ってきた。探していた感覚を見つけ、肉体改造によって体の幹に力を蓄えたイチローには、振り子は必要なくなっていた。


正直なところ、球場内に関してはもう宿題と思えるようなことはないんですけど、球場外に関しては、向こうでは思うようにいかないことが多いと想像してますね。どこでストレスを発散しようかということなんですけど、日本にいればどこへでも行けるじゃないですか。友だちもたくさんいるしね。でも向こうではそういうわけにはいかないですからね。英語？　前は少し勉強しましたけど、今はまったくやってない。メジャー行きたいなぁ、でも無理だろうなぁって感覚の時は勉強もやる気になるんですけど、いざ行けるとなったら、英語の勉強なんかするよりも素振りしなきゃ、とか（笑）、そっちの方に意識がいってしまうんですよ。不思議ですよね。食事に関しても、ホームにいる時は嫁さんも一緒だし、さほど問題ではないと思ってますけど、遠征に出た時はね、そういうことも問題になってくるでしょうね。だいたい日本食があればそちらに走ることが多い方ですから。アメリカの食事もダメってわけじゃないんですよ。ただ、どうしても食えないものが存在しますからね。注文したものとイメージが全然違うものが出てきたりするじゃないですか。あれ、ビックリさせられますよ。サラダでも、腐ってんじゃないのっていうドレッシングがかかってたり……（苦笑）。

21世紀、イチローが挑むアメリカン・リーグは、実におもしろい。マイク・ムシーナを加えて強力先発陣にさらに磨きが掛かった王者ヤンキース、マニー・ラミレス、野茂英雄を加えたレッドソックス、アレックス・ロドリゲス、アンドレス・ガララーガ、ケン・カミニティというスラッガーをズラリと補強して雪辱を期すレンジャーズ、さらにイチローを得たマリナーズ――162試合、イチローにとっては息の抜けない毎日が続くはずだ。それでも、イチローにとっては、念願のマリナーズのユニフォームだ。2年前、スプリング・トレーニングに参加していたおかげでゼロからのスタートをしなくてすむ、という理由から第一希望にあげていたマリナーズには、イチローが「子供っぽいところがあるから、安心して自分をさらけ出せる」と言って慕う佐々木主浩《かづひろ》もいる。

佐々木さん？　アドバイスなんて何か言ってたかなぁ。あんまり僕はあの人のことは信用してないからね（笑）。何か言ってたかな。言ってたような気もするなぁ……でも、記憶にないなぁ（笑）。向こうではどうだとかという話はあんまりしてないんですよ。まぁ、佐々木さんとは、そういうマジメな話にはなりえないしね（笑）。

不安なのは、休みがないってことかなぁ。休みがないって、けっこう不安なものですよ。練習のスタイルが、日本と違ってゲームに集中するためだけのものだから、そういう疲労はこっちに比べれば少ないと思うんですけど、やっぱりねぇ。毎日やっていこうと思うとね、これは大変でしょうね。

まぁ、開幕に向けてベストに持っていくつもりは全然ないんです。ある程度までは、とは思ってますけど、いろんなことに慣れてきた頃、自分の中に、二度目の開幕という意識が生まれてくるかもしれないですね。

走攻守でいえば、メジャーで一番びっくりさせられるのは走塁じゃないですか。守る側のスキのなさだとか、とんでもない肩だとか、そういう思いもしない能力を感じさせられるのは、走塁をしている時でしょう。内野手の能力は特に違いますからね。だから今まで、自分で無意識のうちにやってたことも、もっと意識をして、その意識をもっと強くしていかないと、痛い目にあうかなという想定はしてますね。抜けたとか、間に合うとか、そういう感覚のズレは意識の問題で解決できると思うんです。例えば、リードをする時、どのタイミングでセカンド側にシャッフルするか、体重のかけ方もかなり強く意識していないと難しいでしょうね。自分の中で一番可能性が残されてるのが走塁だと思うんです。あとの、攻と守に関しては、何かを探そうと思っても、感覚としてもう何も見つからないですからね。

ストライクゾーンも違うでしょうし、攻められ方も違う。そういう違いは必ず存在するので、それには柔軟に対応しなくてはいけないですね。日本でも、メジャーとの違いを意識したバッティングはしてましたよ。見逃した時、あっちならどうかなっていう意識は常に持ってたし、日本ではボールになる球でも打ちにいったりしましたよ。移動が厳しいとも聞いたんで、それならって寝ないで試合に行ってみたりね。もちろん、これはオープン戦の時ですけど。

でも、自分でつくってきたものに関しては変えられない。野球場においては、プライドを持ってその場に立つということは変わりません。これまでと何も変わらずに、ただユニフォームが変わっているだけだ、と。信念を持ったことには、向こうのスタイルがこうだからといって揺らぐことはできないですね。

２００１年4月2日、シアトルのセーフコ・フィールドで行なわれるマリナーズと前年度西地区チャンピオン、アスレチックスとの開幕戦。きっとイチローは、トップバッターとしてその名をコールされるに違いない。21世紀、メジャーという未知の領域に足を踏み入れたイチローは、どういうプレイヤーとして進化していくのだろう。メジャーリーガーとしての自分に、彼はどのくらいのイメージを持てているのだろうか。

どれくらいも持ててない（笑）。だって、まだ踏み入れてないですからね、まったくイメージできないですよ。一年間のイメージもできない。子供の時、こうなりたいなって自分で抱いていたのは、田尾（安志）さんぐらいのイメージかな（笑）。今は、まぁ、これは誰って具体的にはないですよね。ケン・グリフィー？　それはやりすぎでしょう。グリフィーはね、メジャーリーグの至宝といわれてる人間ですよ。とんでもないですよ、勘弁してもらいたい（笑）。どれぐらいの違いがあるのかといえばね、まぁ、モーリス・グリーンと不破弘樹。だって、日本でトップだったランナーでしょ、不破って。（ベン・ジョンソンと胸一つというレースをやったことがあると聞いて）えっ、そうなの？　でも、たまにそういうのが出るのはいいでしょう。やっぱりよく似てるじゃない、今の自分に（笑）。

初打席は、二軍から初めて平和台球場で打席に立った時の感覚に似ていると思いますね。何か、フワフワして、地に足が着いてない感じ……最初のヒットは……そうだなぁ、打ちたいな、というヒットは、間を抜けていくヒットですよね、どっちの間でもいいから。もちろん外野の間ですよ。理想を言えばそうでしょう。ただね、なんか、内野安打になりそうな気がするなぁ(笑)。やってみたいピッチャーは……シゲトシ・ハセガワ（エンゼルスの長谷川滋利）かな。ホントに球が速くなってるのかなぁ。わかんないけど、あんだけ自信たっぷりに言うんだから速くなっててほしいですよね（笑）。

世界一というのは、今、見てる限りではあくまでもメジャーですよ。もちろん、個人として、世界一になりたいという意識はありますけどね。今はそんなもの、全然見えてないですよ。でも、一度は行きたいと思いますよね、世界一まで。世界一？　それはやっぱり打つことがいちばんおもしろいし、見てる人にもそれがわかりやすいし、やっぱ、それ（首位打者）が理想的だと思います。

向こうに行くことが夢じゃないですから。はるか、はるか先にありますから……（そのはるか先の夢って?）そんなことは、ちょっと言えないなぁ。どういうプレイヤーかっていうと、そうだなぁ、しなやかな動きのできるプレイヤーかな（笑）。しなやかな野球をめざして。どうです、コレ?

「そりゃ、メチャメチャ楽しいですよ」

［密着レポート］イチロー「躍動するスピリット」Sports Graphic Number 521/MAY 2001

2001年4月2日――イチローがマリナーズの真っ白なユニフォームを身に纏《まと》って、メジャーリーグへのデビューを果たした。背番号51の初打席、初ヒット、そしてマリナーズでの初勝利。この時期、底冷えがするほど寒いシアトルには、開幕前夜、激しい雨が降っていた。自宅に戻ったイチローは、開幕戦でかぶる予定のマリナーズの帽子を、水で濡らして形を調えていた。その後ろ姿に、夢の大舞台に立つ緊迫感が、初めて垣間《かいま》見えた。

シアトルで会ったイチローの声は、ワンオクターブも高く聞こえた。

「そりゃ、メチャメチャ楽しいですよ」

イチローが、メジャーで思う存分、野球を楽しんでいる。開幕戦のセーフコ・フィールドでこんなシーンがあった。4—4の同点で迎えた8回裏、ネクストバッターズサークルに向かうイチローを呼び止める、三塁ベースコーチのデーブ・マイヤーズ。イチローの肩を抱き寄せるようにして、何やら耳打ちをしていた。もちろん、英語である。

「サードが前に出てたらライトサイドにどうのこうのと言ってましたから、あぁ、右側にバントすればいいんだなと思って（笑）」

ランナーが出たら、送りバント——おそらく野球を始めて以来、イチローにとっては縁の薄い指示だったはずだ。それでも彼はきっちりバントを決めて、足の速さで相手のミスを誘発した。そしてこのバントヒットが、マリナーズに勝利をもたらした。

「今日、一番緊張した打席でしたね。しばらくやってなかったので、バントのサインが出た時はどうしようかと思いましたよ」

高校でもプロでも飛び抜けた成績を残してしまい、すぐに特別な存在になってしまったイチローは、常に「イチローだから」という目で見られてきた。しかし、イチローの何が特別だというのだろう。何もしないで打てるようになったわけではない。質の高い練習を、誰よりもたくさん続けてきただけだ。そんな価値観が当たり前のメジャーに来て、イチローは忘れかけていた刺激を思い出していた。

「もちろん気楽な立場ではないですし、プレッシャーは当然あるものだとしても、思い切り野球ができるということを求めてこちらに来たわけですから、そんなものに目をくれてはいられないですよ。早くグラウンドに立って、公式戦で思い切り暴れてみたいですね」

この開幕直前の言葉通り、公式戦に入ってからのイチローは大暴れだ。初ヒットを放った開幕戦を、彼は「一生忘れることのできない、もっとも特別な日だった」と目を真っ赤にして振り返った。3試合目には早くも敬遠されて「僕もビックリしました、まさか1年目で敬遠されるとはね」と嬉しそうに笑った。そして4試合目では、延長10回にメジャー初のホームランをライトスタンドに叩き込んで、「狙ってなかったと言っておきます」と茶化してみせた。あまりに順調な、あまりに劇的なメジャーリーグへのデビューだった。

イチローという選手が持っているもっとも重要な武器。それは、飛び抜けたバッティングセンスでもなければ、類い希なトータルバランスでもない。彼の第一の武器は、〝心〟の持ち方である。「アイツは特別だから」と誰もが言う中で、もっともイチローを特別視してこなかったのが、イチロー自身だった。彼をここまでにしたのは、想像を絶する練習量であり、その練習に足を向けさせた彼の心の強さである。思えば2年前、マリナーズのスプリング・トレーニングに参加した時、イチローはケン・グリフィー・ジュニアやアレックス・ロドリゲスといった超一流のメジャーリーガーのことを、「怪物」と表現していた。しかし今の彼は、「そんなふうに思っていては、とてもこちらではやっていけませんよ」と言い切った。イチローが決して解こうとしない、心の武装。アメリカにいる間に聞いた彼の言葉の中で、どうしても耳にこびりついて離れない一言が、そのことを象徴していた。

「ああいうのを見ていると……うかうかしていられないって感じですよね」

うかうかしていられない——イチローをそんな気持ちにさせたのは、実は超一流のピッチャーでもなければ、ライバルになるかもしれないスラッガーでもなかった。それは、イチローの視界の外にいると思い込んでいた、マイナー登録の若い選手たちの姿だった。

メジャーのチームがスプリング・トレーニングを行なう施設には、メジャーのロースターに入った40名の他に、大勢のマイナー選手もいる。背番号だけの練習用ユニフォームを着たメジャーの選手がメニューを終えてクラブハウスに引きあげてくる頃、見慣れない名前を大きな数字に乗せたマイナー用のユニフォームを着ている選手たちが、ランチのサンドウィッチを配ってもらうために長蛇の列を作っていた。おそらくはアメリカの田舎町で、あるいは中南米の貧しい村で、誰よりも野球がうまくてここに辿り着いた選手ばかりのはずだ。彼らが着ているのは、マイナー用とはいえ、紛れもないシアトル・マリナーズのユニフォーム。そんな彼らにとっても、メジャーの舞台は、まだ遠い遠い夢の世界だ。

イチローは、そういうマイナーの選手たちを見て、「うかうかしていられない」と言ったのだ。日本で7年連続首位打者を獲った天才バッターならメジャーでレギュラーを獲るのは当たり前だと考えても、少しも不思議ではない。しかしイチローは、最後の最後まで決してメジャーリーガーでいることを決めてかかることはなかった。「気楽な立場ではない」という言葉もそうだし、2度目のノーヒットノーランを達成した野茂との対決について聞かれた時に口にした「その時までちゃんといられるように僕が頑張らないといけない」という言葉も、決して謙遜などではない。スプリング・トレーニングの初日には「まだ大リーガーだとは思っていないので、それを達成できるように」と話し、開幕直前になっても「実際に公式戦のグラウンドに立つまで、そう感じるのは難しいですね」と言ってのけた。

「現実を見るんですよ、僕は。だって、まだ公式戦のグラウンドの土を踏んでないんだし(笑)。そういうスキを見せたくないんですよね。自分としてはここまで、できることをやってきたつもりですから」

イチローにとっての「できること」。その言葉に込められた意味は、あまりにも深い。確かに、イチローはいつの日かメジャーでプレーをするためのいろんな準備をしてきた。ただし、彼の準備はプレイヤーとしての技術や能力に関わることではない。打つこと、走ること、守ることに関して、イチローは子どもの頃からずっと理想のイメージを追い求めてきた。それは今も右肩上がりの発展途上なのであり、ことさらメジャーに来るからといって特別なことをしたわけではないのだ。振り子の幅が小さくなったのも、筋力をつけて体重を増やしたのも、イチローの求める強い打球を打つために必要なプロセスだったのであり、メジャーに来るからそうしたというわけではなかった。メジャーに備えてパワーをつけたといわれた80kgの体重も、「ケガをしている間にウエイトをやり過ぎちゃっただけなのにね」と笑い飛ばしていた。

イチローが準備をしてきたことというのは、ストライクゾーンやバッテリーの攻め方の違い、スケジュールの厳しさ、言葉、相手の野手のとんでもない肩……そういう自分のスタイルを貫くだけでは対応しきれない、野球をやるための外的な環境に対してのことだけだった。「自分で作ってきたものに関しては変えられない」と言ったイチローは、慣れない練習メニューの中でも、自分のやるべきことだけは、十分に意識してきたのである。

「よく、日本と違って打ち込みが足りないのではないかとか、そういう聞かれ方をするんですけど、こちらではこちらのやり方があるわけだし、自分にとってはそれで何の問題もないんですよ。やり方は違っても必要だと思うことをやればいいわけだし、いちいち日本と比べることに意味はないと思うんです。時期に応じて左方向に打ったり、というのは日本でもやってきたことだし、毎年同じようにやっていることを、今までを見ていない人がいろいろ言うんですよね。打つことに関しては、困ったことは何もなかったです」

それでも、ただ一つ彼の心を揺さぶったのが、アメリカのピッチャーに対する感覚の違いだった。3月、オープン戦に入って、その違和感は浮き彫りになった。2年前はほとんど経験できなかった実戦。アメリカのピッチャーがボールを投げるタイミングは、日本のピッチャーとはあまりに違っていた。イチローも、それだけは素直に認めていた。

「それが一番やっかいなんですよね。上体で投げてくるから、途中からが速いんです。確かに日本にもアメリカのピッチャーはいましたけど、数は少なかったですからね」

日本とアメリカのピッチャーの違い。それは、投げる時の体の使い方がまったく違っているということだ。簡単に言えば、アメリカのピッチャーはテークバックを取らず、いわゆる〝間《ま》〟をほとんど作らない。日本のピッチャーが下半身をタメて、十分な間を作ってから上体を引っ張り、〝イチ、ニのサンッ〟というリズムで投げるのに対して、アメリカのピッチャーは下半身にはタメを作らず、上体の力をフルに使って、〝イチ、ニッ〟というリズムで投げてくる。その投げ方は、いったん大きく振り上げてから振り下ろす武士の刀と、銃爪《ひきがね》を引くだけで弾を撃てるガンマンの拳銃ほどに違っている。イチローが言う。

「子どもの頃からそうやって投げてきた、ということなんじゃないですか。投げる球そのものも違いますし、それよりも大きかったのがテンポであったり、投球フォームであったり、そういうものがまったく違って、最初は違和感がありましたね。まだまだ勉強しないと……これをつかむには、もうちょっと時間がかかると思いますよ」

しかも、日本ではイチローという超一流に敬意を表してか、ほとんどのピッチャーが、イチローがバットを高々と掲げる独自のポーズをとって構えるまで、投球動作をスタートさせることはなかった。それを無視していたのは、ナマイキ盛りの松坂大輔くらいだ。ところがアメリカのピッチャーは、お構いなしに投げてくる。その結果、イチローは思うように左足に体重を乗せきれず、十分なトップの位置を作れないというジレンマを感じていた。オープン戦の最初の頃、速い球に差し込まれていたように見えたのはそのためだ。しかし、速かったから差し込まれたのではない。遅れていたから、そう見えただけだった。

「たとえば高校からプロに入った時、プロというのは入ってみなければわからない、まったくイメージできない世界でしたけど、今回はある程度、イメージはできましたから。いろんなことには驚くでしょうけど、戸惑いはそんなに大きなものではなかったですね。野球そのもののレベルは高いと思います。ただ、どうにもならないレベルではないと思うんですよ。何とか自分でもがんばれば届くようなところにあると思うので……」

高めの速い球はファウルにする、意識を外側の球に置いて、外角の球は遠くても打ちにいき、内角の球には体を回して捌《さば》くことで対応する。進化した振り子が小さくなっていたことも幸いし、イチローの体は、遅れていたアメリカのピッチャーのタイミングに適応していった。81打数26安打、打率・321、ホームラン2本という、オープン戦で残した結果がそれを示している。マリナーズの1番、ライトはイチロー——誰もが納得して迎えた開幕直前。最後のオープン戦を終え、シアトルのセーフコ・フィールドで気持ちの高ぶりについて聞かれたイチローは、こう言った。

「さすがにこの球場に来るとキャンプの球場とは全然違いますよ。これだけのお客さんに歓迎されたら、やっぱりね。早く本拠地の球場に慣れたい、どんなファンなのか感じたいというのもありましたけど、あの盛り上がりには興奮しました。あんな感覚というのは久しぶりというか、初めてかもしれませんね」

1カ月余りで3kgも落ちて77kgになったというイチローは、最後にこう言った。

「段階を経て、順調に来てますよ」

2001年4月2日は、イチローにとって劇的な通過点となった。前夜からの激しい雨はあがったものの、まだ底冷えのするシアトル。ボーイング社のお膝元だけあってまるで航空機の巨大な格納庫のようなセーフコ・フィールドの屋根が、ゆっくりと開く。少しだけ覗いた青空に、アメリカ国歌が響き渡った。

イチローは、ルー・ピネラ監督のすぐ隣り、トップバッターにのみ与えられる特別な場所に立っている。大観衆の前で初めて袖を通した、マリナーズの真っ白なユニフォーム。記者席からは、背番号51しか見えない。その背中は微動だにしなかった。彼はいったいどんな表情でこの国歌を聴いているのだろう。ついに念願叶って立ったメジャーのグラウンド。夢心地か、感無量か……早くイチローの顔が見たい。しかし、イチローはオーロラビジョンになかなか映らない。最後のサビも終わろうかという時、ようやくイチローの表情が2〜3秒、かなりのアップで映し出された。その目に、思わずドキッとさせられた。

驚くほどに、厳しい目つき。キッと何かを見据える、力のあるまなざしは、感傷に浸っているような甘い光を微塵も放ってはいなかった。メジャーの舞台に立てたことに酔っている場合ではなかったのだ。162試合を戦う2001年のシアトル・マリナーズ、そのゲームワンが、まもなく始まるのである。

思えば渡米前、メジャー初打席のイメージを聞かれたイチローは、「二軍からあがって初めて平和台球場で打席に立った時の感覚に似ていると思いますね。何か、フワフワして、足が着いてない感じ……」と話していた。その初打席のことをイチローに「フワフワした感じ、あった?」と聞いてみた。するとイチローは「ううん、全然」と言い切った。

「もっとそういう感じがすると思ったけど、全然。うん。オープン戦の時の初打席よりもまだしっかりしてるという感じでしたね。オープニングに関しては、確かに特別な思いはありましたけど、プレイボールがかかれば、あとはチームが勝つことだけしか考えていませんでした。どんな勝ち方でもいいから、とにかく勝ちたい試合でしたからね」

21世紀のゲームワン、マリナーズは鮮やかな逆転勝ちを演じた。38歳のエドガー・マルティネスが打ち、かつての首位打者、ジョン・オルルドが続き、最後を佐々木主浩が締めた。そして逆転の起爆剤となる2本のヒットを放ったのが、イチローだった。マリナーズの初勝利を演出したのは紛れもなく、野球をやる喜びに飢えていた、さして体の大きくないメジャーリーガーだった。仲間とともに勝利の余韻をかみしめるイチローはもはや、立派な〝怪物〟の一人になっていた。

シアトルのイチローの家には、初ヒットの記念ボールと、佐々木にもらったというゲームワンのウイニングボールが、大切に飾られている。1本のヒットが、そして1勝がいつしか当たり前になっていたイチローに、ヒット1本の喜び、1勝への感激が戻っていた。そして唯一感じていた、相手投手に対する感覚のズレも、着実に修正されてきていた。

「だいぶ自分のリズムに近い感じになってきましたね。これがまた、相手が変わればわからないですけど、とりあえずオークランドに関してはそういう感覚にはなりました」

かつて、自分に与えられた最大の才能は何だと思うか、とイチローに聞いたことがある。彼は「たとえ4打席ノーヒットでも、5打席目が回ってきて欲しいと思える気持ちかな」と言った。ヒットが出てもノーヒットでも、一喜一憂しない揺るがない心。メジャーはそんな男たちの集う舞台だ。今のイチローは彼らと真正面から対峙《たいじ》できる喜びに満ちあふれている。完成された技、見劣りしない力、そして誰よりも強い心――。イチローに、メジャーのレベルは高いと思ったか、と聞いてみた。すると彼は、間髪入れずにこう言った。

「うん、精神的にはね」

イチローが、不敵に笑った。

「やりづらいと言うか、イヤなチームですよね」

[徹底検証]イチロー&マリナーズ「10月のヤンキースを倒せ」Sports Graphic Number 532/OCT 2001

テロに襲われた2001年のニューヨーク。ワールドシリーズ4連覇を目指していたヤンキースは、悲嘆に暮れる街の期待を背負って戦っていた。一方、シーズン116勝を記録したこの年のマリナーズを牽引したのは、メジャー1年目のイチローだった。ワールドシリーズ出場を賭けて戦うヤンキースとマリナーズ。シーズン中の直接対決9試合をモチーフに、イチローがチームの中でどう機能していたのかを紐解きながら、決戦の行方を占う。

伝統の、ピンストライプ――。

「あれは、着る人を選びますよね」

イチローは、歴史あるユニフォームの印象をこんな言葉で表現した。オールスターの時、バーニー・ウィリアムスとお互いの51番のユニフォームを交換したというイチローは、ピンストライプに対して、「カッコいいですよ。もちろんデザインとか色合いではなく……歴史、ですかねぇ」と敬意を表していた。

ほぼ1世紀にわたるワールドシリーズに37回出場し、うち26回世界一に輝いたニューヨーク・ヤンキース。ジョー・トーレ監督が指揮を執った去年までの5年間でも、すべてのシーズンでプレイオフに進出し、ワールドシリーズを4度も制覇している。しかも昨年までのワールドシリーズ3連覇の間、ポストシーズンでの戦績は33勝8敗。ワールドシリーズに限っては、2度のスイープ（4タテ）を含んで12勝1敗。勝率は実に9割を越えていた。

10月のヤンキースは強い。それは、ポストシーズンを勝つための戦い方を知っているからだ、とよく言われる。では、ヤンキースが知る〝ポストシーズンの戦い方〟とは、いったい何なのか。それは、イチローの言葉を借りれば、「イメージを持ってプレーできるかどうかの差」なのだという。

「経験がある、ということはイメージができるということじゃないですか。試合が始まるまでの気持ちの持っていき方が違ってきますし、だいたいこうだとイメージできれば、あらゆる場面でどういうふうに対処していくかということがわかりますからね」

シアトル・マリナーズは、未だかつてワールドシリーズの舞台に立ったことがない。しかし、歴史的な独走で地区優勝を決めた今年のマリナーズの強さは桁外れだ。世紀が変わって最初のワールドシリーズ、イチローを擁する今年のマリナーズは、〝10月のヤンキース〟を倒すことができるのだろうか。悲願のワールドシリーズ初出場を果たすために、ヤンキースはどうしても落とさなければならない難攻不落の城だ。マリナーズのルー・ピネラ監督は、ヤンキースの強さをこう語った。

「ヤンキースは特別なチームです。こちらがシーズンをどれだけ勝とうと、プレイオフでは軽視できない。去年のチームだって、シーズン中はとてもワールドシリーズを勝てるチームには見えなかったのに、突然、別のチームになりましたからね。ヤンキースの選手はプレイオフでどうプレーしたらいいかをよくわかっているし、過去の成功から得た自信に満ちあふれている。すぐれた選手たちが、勝つためのプレーに徹する、そのコンビネーションが抜群です。でも、ヤンキースに勝たなければワールドシリーズへはたどり着けませんからね。相手にとって不足はありません」

ピネラ監督は、ヤンキースの外野手として4度のワールドシリーズに出場し、2度の世界一を経験している。'93年にマリナーズを率い、以来3度プレイオフに進んだが、ワールドシリーズ出場はまだ果たせていない。

「プレイオフというものは、最高のプレーをしないとあっという間に終わってしまいます。特別なことをしろというのではない。シーズン中にしてきた、自分にとっての最高のプレーをすればいいんです」

10月に必ず立ちはだかってくるであろうヤンキースとの試合には、直接順位を争うア・リーグ東地区以外のチームにとっては、互いを探り合う意図が含まれている。いわゆる〝オクトーバー・テスト〟である。イチローも「やらないよりはやった方が情報は入ります」と、ヤンキース戦の持つ意味を示唆していた。

今季、ヤンキースとマリナーズの直接対決は9試合。4月24日からニューヨークで3連戦、5月18日からはシアトルで3連戦、そして8月17日からは再びニューヨークで3連戦。マリナーズはまず、4月にヤンキースをスイープ（3タテ）。5月のシアトルでは、雪辱に燃えるヤンキースに連敗を喫した後、一矢《いっし》を報いての1勝2敗。そして8月のニューヨークでは、初戦に完敗しながらも盛り返して2勝1敗。マリナーズの6勝3敗、というのが9試合の戦績だった。

とりわけ意味を持っていたのが、敵地でのスイープを決定づけた4月の第3戦だった。マリナーズが4月にニューヨークにやって来た時、街はまだ肌寒く、空もどんよりと曇っていた。そのせいか、ブロンクスにそびえ立つ白亜のヤンキースタジアムも色褪《あ》せて感じられ、どんよりとしたイメージが漂っていた。

そんな街の印象と重ね合わせるように、スロースターターのヤンキースもまだ投打のバランスが嚙み合わず、この3連戦を迎えるまでの戦績は11勝8敗。対照的にここまで15勝4敗と飛び出したマリナーズがニューヨークに乗り込んだのは、そんな時だった。

ヤンキースが、ロジャー・クレメンス、アンディ・ペティット、マイク・ムシーナの3本柱を立ててきた3連戦。第1戦は、マリナーズが7―5で勝ち、第2戦も7―5でマリナーズがヤンキースを振り切った。いずれも先制したマリナーズをヤンキースが追い上げ、一度は追いつかれながらも最後は5―5からマリナーズが2点を突き放す、というまったく同じような展開。そして第3戦も6回を終わって2―2と、中盤までは両者ともに互角に渡り合っていた。そんな均衡をうち破って、大きな流れをマリナーズに呼び込んだのが、イチローの存在だったのである。

ムシーナは6回表を抜群のコントロールで3者連続三振に打ち取り、マリナーズを2失点に抑えていた。7回表、マリナーズの攻撃。無死一塁で、1番のイチローが打席に入った。イチローは初球、バントの構えを見せてムシーナを揺さぶる。そして、ムシーナ独特の一度大きく沈み込むセットポジションから投げた2球目を、イチローは一塁線にバントで転がした。しかし当たりが強く、思い切って前に出ていた一塁手のティノ・マルティネスが二塁へ。ベースカバーに入ったデレク・ジーターは、難しいショートバウンドの送球を体をいっぱいに伸ばして好捕、一塁走者のトム・ランプキンを刺した。イチローの送りバントは失敗、しかしイチローが残って、1死一塁。

〝イチロー、ベースオン〟——今季のマリナーズの強さは、決まってこの状況から導き出される。ムシーナはイチローを気にして、牽制球を1球だけ投じた。それでも2番のマイク・キャメロンに対してはクイックをするわけでもなく、淡々と変化球を続ける。カウントは1—2。しかし、ここで何か予感めいたものがあったのだろう。ムシーナは2球、素早い牽制球を投じた。そして4球目、ふたたびインハイへ変化球。ここで、イチローが走った。

「イチローを気にしてたんじゃないかって？　確かに彼は速いけど、他にも速い選手はたくさんいる。そんなことは気にしてないよ」

誇り高きムシーナは、毅然とそう言った。しかし、ムシーナは明らかにイチローを気にしていた。キャッチャーのホーヘイ・ポサダの送球がワンバウンドになった分、足からスライディングするイチローの右足が一瞬、早くベースに届き、盗塁成功。1死二塁となって、ムシーナはこれまでにないほどの長い間を取った。結局、キャメロンを歩かせて1死一、二塁で、クリーンアップにつなげてしまう。3番は、エドガー・マルティネス。ムシーナが投じた2球目、アウトハイへのチェンジアップを芯で捉えたマルティネスの打球は、センターの頭上を越えていった。一気に2人が還ってマリナーズが突き放し、敵地ニューヨークでのスイープは決定的となった。

絶妙のコントロールを誇るムシーナは、これが今季5試合目の先発マウンドだったが、ここまでの4試合、25回と3分の2を投げてただの一つもフォアボールを与えていなかった。この試合ではじめて一つフォアボールを与えたが、それは2死三塁で8番バッターに与えたもの。あの場面でキャメロンに与えたのは、明らかに勝負にいきながらイチローによってリズムを崩され、コントロールを乱した末のフォアボールだった。リードオフのイチローがピッチャーの心を揺さぶる、まさに今季のマリナーズを象徴するワンシーン――トーレ監督は、イチローが加わった今季のマリナーズをこんなふうに言い表した。

「シアトルにイチローが加わったことで、チームのケミストリー（化学変化）と、新たなディメンション（規模の拡大）がもたらされました。例えばイチローが一塁にいると、ピッチャーはどうしてもイチローを気にしてしまう。できるだけ気をそらさないようにしていても、あのスピードを意識しすぎて、球数は増えてしまうし、バッターには甘い球を投げてしまうんです。

つまり、イチローは後ろのバッターも助けている。彼のスピードとコンタクトは、こちらのディフェンスに悪影響を及ぼし、シアトルの攻撃を多彩にしていますね」

マリナーズの〝ケミストリー〟と〝ディメンション〟――イチローが加わったことで、マリナーズには化学的な反応が起こり、ひと回りもふた回りもスケールアップしていると、トーレ監督はそう言うのである。そもそもイチローが打席に入るだけで、相手のディフェンス陣は通常とは違う守備隊形を取らなければならない。内野ゴロでも、それがヒットになってしまう危険性をはらんでいるからだ。内野は前に出る。当然、ヒットゾーンは広がる。ピッチャーはそれだけ神経を使わざるを得ない。つまり相手にとっては、初回、イチローを打席に迎えた時点ですでにピンチを背負っているような感覚に陥ってしまっているのだ。

そんなケミストリーとディメンションに翻弄されたのが、19勝1敗（9月10日現在）という凄まじい数字を残しているヤンキースのロジャー・クレメンスだった。彼の唯一の黒星は、5月にシアトルで行なわれたマリナーズとの3連戦、その第3戦についたものだ。

ニューヨークでの屈辱的な3連敗の借りを返したいヤンキースは5月、シアトルに乗り込んでの初戦を14―10で打ち勝ち、第2戦は佐々木主浩を攻略して、延長10回、2―1で逆転勝ちを収める。そして迎えた第3戦、スイープのお返しをしたいヤンキースは、無敗のクレメンスをマウンドに送った。

初回、イチローが打席に入る。クレメンスはストレートで押しまくる。しかしマウンドの土が軟らかすぎるのか、踏み出した足の踏ん張りがきかず、ストレートが高めに抜けた。そこでイチローには外へ沈むチェンジアップを投げて誘ってみたものの、うまく見逃されてしまう。クレメンスはこう言った。

「イチローは目と腕のコーディネーションが優れているため、ボール球には手を出しません。だから配球を工夫して、いろんな球種を組み合わせないと、打ち取れないのです。もちろんアウトにできればホッとしますけど、どうしても球数が増えてしまうし、次のバッターへの影響も多少はあるでしょうね」

イチローは2―3からの6球目、真ん中低めのストレートを、セカンド正面に転がした。確かに弱い当たりのゴロではあったが、普通に考えればただのセカンドゴロなのに、それがあわやというプレーになる。スタンドはざわめき、ヤンキースの守備陣は緊張を強いられる。ポサダが呆れたようにこう言った。

「マリナーズの成功はイチローがリードオフにいるからでしょう。彼のスピードがマリナーズを煽っているのです。後ろのバッターの打点が増えているのも、イチローのアグレッシブなプレーのおかげだと思いますよ」

先頭のイチローはアウトになった。しかし、2番マーク・マクレモアがフォアボールを選び、盗塁とエラーで三塁へ。３番マルティネス、４番ジョン・オルルドも歩いての1死満塁から、５番ブレット・ブーンが右中間に走者一掃のタイムリー二塁打を放って、マリナーズは早々と３点を先行した。そしてこの日、クレメンスに初黒星が記録されたのである。

夏――イチローが再びブロンクスに帰ってきた。プレイオフ前の最後の直接対決。蒸し暑いニューヨークには青空こそ広がってはいなかったものの、春と違ってスタンドは超満員。３試合ともに５万４０００を超える観衆で埋め尽くされたヤンキースタジアムは、どんよりとした春のイメージとはずいぶん違っていた。熱を帯びたニューヨークのファン。その熱気に押し上げられるように、ヤンキースも負けられない試合をことごとくものにし始めていた。今季、ヤンキースからマリナーズに移ってきたジェフ・ネルソンが言った。

「ヤンキースはこの時期になると目標が定まってくる。何しろ、メジャーリーグ、いや、すべてのスポーツの中で、史上もっとも有名なチームでしょう。選手たちも『オレたちだって、あのピンストライプを着てチャンピオンシップを取るんだ』という伝統やプライドを受け継いでプレーしている。だから他のチームよりも必死になれるんだと思います」

秋が近づくとともに漂う、ピンストライプのオーラ。第1戦、ジーターが放った先頭打者ホームランには、まさに王者の誇りを感じさせられた。ムシーナの好投と、ジーターの一発を含む3本のホームランで、0—4と完敗したマリナーズ。しかし今年のチームは、そこで臆することがない。第2戦、マリナーズは左腕テッド・リリーを攻め、2回までに大量7点を奪う。ヤンキースも、ジーターの2試合連続先頭打者ホームランで一矢を報い、1—7からさらにジワジワと追い上げる。5回にはマルティネス、ポサダの連続タイムリーで2点差とし、9回には佐々木を攻めてついに1点差にまで詰め寄った。オルルドが言った。

「だからヤンキースはいいチームなんですよ。中身の濃いバッティングをするし、簡単にアウトを取らせてくれないし……」

イチローも、言った。

「やりづらいと言うか、イヤなチームですよね。なかなか勝負をあきらめてくれないし、タフな印象がありますね」

しかし、最後まであきらめないのはヤンキースだけではなかった。今年のマリナーズもそう簡単にはあきらめない。第2戦の8回裏、必死の継投で逃げ切りをはかるマリナーズのマウンドには、5人目のネルソンがいた。2点差、2死満塁の大ピンチ。そこでジーターが放った強烈なピッチャー返しを、ネルソンは、まるでアイスホッケーのGKばりに足を閉じて、執念で止めにいった。そして、そのネルソンの右足に当たって跳ねたボールを、ランナーと交錯しながらも着実に捌《さば》いて一塁へ正確な送球をしたのがサードのデイビッド・ベルだった。ブーンがこう言った。

「最後まであきらめないのは、いいチームだという証《あかし》です。確かにヤンキースはタフなチームですけど、向こうもマリナーズがホンモノだということをこの3連戦で知ったはずです。マリナーズのスピリットを十分に見せることができましたからね。こうなったら、ウチもただのいいチームで終わるわけにはいきません。チャンピオンリングを勝ち取って、最高のチームになりたい。我々にとって、ヤンキースはそのための〝登竜門〟なんです」

もちろん、イチローだって容易にあきらめるようなプレイヤーではない。第1戦の4回表、三遊間に弾き返すヒットで出た無死一塁のチャンス。ここで、イチローは二塁へスタートを切った。ところが、エンドランのサインが出ていたにもかかわらず、なんと2番のマクレモアがその球を見逃してしまう。バットに当ててもくれないのでは、とにもかくにもスタートを切られたランナーとしてはたまったものではない。ポサダの送球がジーターのグラブに吸い込まれたとき、イチローはまだベースの1m も手前にいた。

しかし、イチローはいったん左足で滑り始めたスライディングを途中で止めるために、なんと右足で急ブレーキをかけたのである。そしてジーターのタッチをかわそうと、ベースの手前、50㎝のところで相手のグラブをかわしながら、小刻みにステップを踏んだ。

「あのケースでは普通、スライディングでしょう。でも、イチローはわざとストップした。珍しいですよ、あんなオプションは。おそらく彼はショートのジーターを混乱させるためにそうしたんだと思います」

ポサダはそう言って、首を2、3度と横に振った。イチローを二塁ベースで待ちかまえていたジーターは、こう言った。

「あれはイチローのフェイクじゃないかな。タッチをかわそうとして、わざと止まってステップを踏んだ。ああいうことをする選手は見たことがなかったので、驚きましたね。水をまいていたから滑り込めなかったんじゃないかって？　そんなはずないでしょう（笑）」

試合後、ピネラ監督が「グラウンドが濡れていた。雨が降ったわけでもないのに、どうせグラウンドキーパーがずぶ濡れにしたんだろう」と発言したため、あの盗塁失敗は、〝オクトーバー・テスト〟を意識したヤンキースのワナだったという憶測がなされていた。しかし、イチローのプレーはそんな次元のものではなかった。もっと高いレベルで〝次の手〟を瞬時に考えていたのである。つまり、イチローは最後まであきらめなかったのだ。そのプレーの意図をイチローはこう説明した。

「オリックスの時も、ああいうプレーは何度かありましたよ。わざと止まって、足でベースを探すんです。あのまま滑り込んでもまったくのノーチャンスですけど、止まって足でベースを探せば、わずかなチャンスが生まれてきますからね」

伝統のピンストライプを身に纏ったニューヨーク・ヤンキースは、あきらめることを知らない。しかし、イチローによる劇的なケミストリーが生まれた今年のシアトル・マリナーズは、もっとあきらめない。ワールドシリーズへのチケットは1枚だけ。勝利への執念が勝るのはどちらか、決戦の日は近い――。

「ヤンキースが相手チームを変化させている」

［プレイオフを振り返る］イチロー「特別な試合を普通に戦う」Sports Graphic Number 535/NOV 2001

メジャーに挑んだ最初のシーズン、イチローはいきなり242安打を放ち、3割5分で首位打者に輝いた。そしてイチローが加わったマリナーズは、ア・リーグ西地区を制し、初のワールドシリーズ出場を目指してプレイオフを戦うことになる。ディヴィジョンシリーズはインディアンズと、そしてリーグチャンピオンシップはヤンキースと――27歳だったイチローは大一番をどう戦ったのか。特別な試合に臨んだイチローの心の持ち方を描く。

イチローが、後ろを振り返る。また振り返った。ほとんど、一球ごとだ。

ライトを守っているイチローは、しばしば右後方を見上げている。10月15日、ディヴィジョンシリーズの第5戦。3―1でインディアンズをリードしたマリナーズは、クローザー・佐々木主浩をマウンドに送って逃げ切りを図っていた。この試合に勝てばリーグチャンピオンシップへの出場が決まる。打席にはインディアンズの4番、ホワン・ゴンザレス。佐々木はフォークを2球空振りさせて、ツーナッシングにまで追い込んでいた。その時、ライトのイチローを見ると、また後ろを振り返っている。しかも、2度。風の向きを確かめているのだろうか。しかし旗のようなものはその方向にはない。彼はいったいライトから何を見上げているのだろう。

「風？　いやいや、違います。あれはいつものことなんですけどね。僕は球場ごとにいくつかのポイントを決めて、それを見ることで精神的なコントロールをしているんです。いつも普通の精神状態でいられるように、準備をしているということかな。準備といってもいろいろありますからね。寝ることも食べることも、すべてが準備ですから」

イチローがさりげなく使った「普通」という言葉。イチローは、このポストシーズンの間に、「普通」という言葉を幾度となく口にした。レギュラーシーズンと違う環境の中で、レギュラーシーズンと同じように、いかに普通に戦うことができるか――それが未経験のポストシーズンにおける、イチローの内なる戦いだった。イチローには特別なプレーは何もない。すべてが、彼にとっては普通のプレーだからだ。

ライトのフィールドに立ってそこから見える〝何か〟を見上げることで、イチローは自分の精神状態が「普通」であることを確かめていた。例えば、精神的に高揚して舞い上がってしまうことで、いつもしていることを忘れたり、いつも見ているものがいつものように見えないようでは、自分の中にしっかりと宿っているはずの感覚を信じることができない。逆に言えば、普通の状態であれば、いつものように自分の感覚で野球をやればいい。打席で一球ごとにバットを高々と掲げるおなじみの仕草——あれも、イチローにとっては同じような意味を持っていた。バットを視線の先に持っていき、そのさらに向こうに見える〝何か〟と比較しながら、焦点を順番にあわせていく。バットから、遠くに見える〝何か〟に合わせ、続けて、すぐ目の前のバットに焦点を戻す。その作業は、イチローにとっては精神的な意味合いが強い。いつものように見えているということは、精神的な状態が普通であることを教えてくれる。ならば、いつもの感覚に従ってバットを振ればいい。イチローがこう言っていたことがあった。

「日本にいる時には、バックスクリーンとバットを交互に見ていたんです。でもこっちに来てからは球場の形がバラバラで、バックスクリーンがないところもありますからね。今はだいたい相手のピッチャーを見ています。ピッチャーにバットを重ねていますね」

フィールドのイチローは、いつも心を普通の状態に持っていこうと、様々な工夫をしている。

野球における彼の動作に、ムダなものや、理由のないものは何もない。ではセーフコ・フィールドでは、いったい何を見ているのだろう。右後方、上の方にある、イチローだけが決めた、あるポイント。

「それは言えないなぁ（笑）。まぁ、見てる方向に何かがあるということですよ」


ディヴィジョンシリーズは、クリーブランド・インディアンズとの対戦だった。イチローはインディアンズに対して、とくに強いというイメージを持っていたわけではなかった。ヤンキースとインディアンズ、どちらがやりにくい相手かと聞いた時にも、彼は即座に「そりゃ、ヤンキースですよ」と答えていた。

「だって、ピッチャーが全然違いますから。インディアンズには、イヤらしいというイメージはまったくないですね」

しかし、普通にやれば勝てるはずだったインディアンズに、マリナーズは予想外の苦戦を強いられた。大舞台に立ったナインの多くは力が入ってしまい、特別なプレーをしようとしてしまったのだ。象徴的なシーンが第3戦に見られた。1回裏、珍しくイチローにエラーがついたプレーがあった。1死一塁から、3番ロベルト・アロマーが放ったライト線への深い当たり。当然、一塁走者のオマー・ビスケルは三塁からホームを狙う。ライトのイチローはバックホーム体勢に入る。そこへ、なんと、セカンドのブレット・ブーンが中継に入ってきたのである。今季、ファーストのジョン・オルルドをカットマンにするケースはあったが、ブーンがカットに入ったことは一度もなかった。イチローは驚いて、指先の感覚を狂わせた。バックホームのボールに珍しくスライダー回転がかかり、一塁側に大きく逸れる。アロマーはその間に三塁へ進み、イチローにエラーが記録された。

よそいきの野球——マリナーズが陥った落とし穴は、まさにこの言葉で言い尽くされる。史上最強の肩書きが重くのしかかり、勝って当然という空気の中でずっとプレーし続けてきた今季、マリナーズの選手たちは絶対に負けられない試合を経験してきていない。もちろん、力があったからこそあれほどの数の勝利をつかむことができたのだが、勝ちたいと思って手にする勝利と、負けられないと思ってつかむ勝利は、同じではない。２００１年のマリナーズは勢いに乗って１１６の勝ち星を積み重ねてきたが、ポストシーズンのような崖っぷちで同じ力を発揮できるかどうかは、未知数だった。その象徴がブーンだ。ディヴィジョンシリーズの５試合で、21打数2安打、三振は11、打点はゼロ。対照的に5試合で12本ものヒットを放って打率6割を残したイチローは、こう言っていた。

「これまでも常にプレッシャーを自分にかけてきましたし、そういう状況はたくさんありました。それをくぐり抜けてきた、乗り越えてきたという自信がありますから、どんな状況が目の前に現れても動揺したりすることはないし、普通の精神状態で目の前の状況をこなすことができるという自信はあります」

初めて経験する5試合制のプレイオフ。2敗しただけで断崖絶壁に追いつめられた第4戦の試合開始が、雨で2時間半も遅れることがわかった時、イチローはなんと、自分の枕をスーツケースから引っぱり出して眠っていた。珍しく記者会見でそのエピソードを披露したおかげで、アメリカのある新聞にはこんな〝物語〟が載っていた。『イチローの逆転タイムリーは、窓を開けて外の雨を見た、その瞬間から始めた準備のおかげだった』と。

「いやぁ、枕の話はジョークのつもりで言ったのに、みんな、『ほー』って顔してマジメにメモ取ってるから困っちゃいましたよ。別に、雨が降りそうだったから持っていったわけじゃなくて、たまたま移動日だったから、いつも遠征先に持ってきているスーツケースの枕が球場にあったわけですよ。最初から寝ようと思って枕を持ってきたわけじゃないですよ(苦笑)。試合開始が遅れると聞いたので、じゃあ、寝ようかなと思ったら、そういえば枕があることを思い出しただけで……」

たっぷり睡眠をとったイチローに、打てる球に対してバットを振り切っていた。プレッシャーと対峙《たいじ》する術《すべ》を知り尽くしている男は、ストライクゾーンに来ればどんな球でも打てますよ、とばかりに、ことごとくファーストストライクを打って出た。そして、第4戦で、あの起死回生の逆転打を放った。

第5戦では、メジャー屈指の二遊間のプライドをズタズタにしてみせた。第1打席、イチローは三遊間へゴロを打つ。ショートは、8年連続ゴールドグラブのビスケル。追いついたものの投げることもできず、内野安打。第3打席には二塁ベース寄りの強いゴロを打つ。こちらもゴールドグラブ9回のセカンド、アロマーは、速い送球をしなければと、その後の体勢までを考えた捕球をしようとしてボールを弾いてしまった。これも内野安打になる。そして第4打席には、またも二遊間、今度はショート寄りにゴロを放つ。これにも追いついた名手ビスケルは、ツーステップで一塁に送球。しかしイチローの足が勝って、これも内野安打。その瞬間、アロマーはもうお手上げだとばかりに両手を上げ、ビスケルはどうしようもない、と肩を落としていた。

「へえーっ、アロマー、そんなことしてたんだ……まぁ、最初の二つは完全にヒットですけど、三つ目のヒットは確かに気持ちがいいですよね。僕は1勝2敗になっても、インディアンズには勝てると思ってました。怖さがまったくなかったし、むしろこっちが普通にやれないことの方が怖かったたな（笑）」

マリナーズは、インディアンズを3勝2敗で下してリーグチャンピオンシップへの進出を決めた。王手をかけてからよもやの連敗を喫したアスレチックスが、ヤンキースに屈したのはそれから約4時間後のことだった。

「テレビ、観てましたよ。目が離せなくなっちゃいますよね。やっぱりヤンキースとやりたかったですから。特別なゲームだからといって特別なプレーをしようとしないし、普通にやってるでしょ。７試合まで？　いや、こっちはそんなにやりたくないですよ（苦笑）。せめて６試合くらいで決めないと……」

シーズン中、マリナーズに３勝６敗と負け越したヤンキースは、短期決戦でイチローを封じるために、明確な意図を持って挑んできた。ペティット、ムシーナ、ヘルナンデス、クレメンスの４本柱を中心にしたヤンキース投手陣は、持てる力をすべて発揮して、時には敬遠までして、イチローと対峙した。そこには、それぞれのピッチャーの特徴を生かした、緻密な設計図が存在していた。

第１戦と第５戦に先発した、アンディ・ペティットは、第１戦の第１打席で、イチローに対してすべてファストボールでインコースを突いてきた。４球目、インハイのストレートに詰まってサードゴロ。このインサイドを意識した配球が、その後に生きる。第２打席は初球、アウトローにカーブ。イチローは平然と見送る。ペティットのカーブにまったく反応せずに見送れたのは、ボールがよく見えている証《あかし》でもある。そこで、ペティットは再び速い球で攻める。外角にボール球、そして内角低めにストレート、最後は外の低めにカットボール。内側に意識を持たされたイチローは、ワンバウンドになるボール球に手を出して、空振りの三振を喫してしまった。

第2戦に先発したマイク・ムシーナは、アウトハイへの速い球と外の沈む球で攻めてきたが、イチローはその沈む球にうまく合わせてヒットを放つ。イチローはその後、ムシーナの球は見切ったかのようにファーストストライクを振りにいき、強い打球を飛ばしていたが、ヒットはこの1本だけ。第3戦のオルランド・ヘルナンデスは、投げる腕の高さを5種類ほど使い分けて緩急で攻めてきたが、緩い球に三振し、速い球はヒットにした。そして第4戦のロジャー・クレメンスは、痛めていた右太モモの状態が思わしくないのか、ストレートはほとんどストライクゾーンには投げられず、落ちる球ばかりで2打数2三振。結果から見れば、イチローはヤンキースとの5試合で、わずか4安打しか打てなかった。

「確かに、ペティットにはやられたと思う打席がありましたけど、他のピッチャーにはやられたという感覚はないです。ただ、短期決戦になると、どうしても一球への気持ちだとか、集中の度合いが違ってきますからね。あれだけのピッチャーが集中して投げてくるわけですから、それは簡単ではないですよ」

確かに、マリナーズはヤンキースに敗れた。しかし、イチローがヤンキースに敗れたとは思えなかった。ヤンキースに敗れた直後、ヤンキースとマリナーズの違いを問われ、イチローはこう言った。

「特別な試合で、普通にできること。これがヤンキースの一番の武器でしょう。決して彼らが特別なことをやっているわけではなく、相手を考えさせたり、相手を変化させている。決してヤンキースが変化しているわけではなく、ヤンキースが相手チームを変化させているのだと思います。どのチームにとってもヤンキースは大きなカベ。そういうものを大いに感じさせてくれたシリーズでしたし、同時にそういう存在でありながら必ず勝つヤンキースの偉大さも感じました」

大舞台の経験が豊富なヤンキースは、「普通」に野球をやっていた。気負ったマリナーズは、よそいきの野球をやっていた。その差が、1勝4敗という数字につながってしまったのである。しかし、イチローは常に「普通」だった。何度も右後方を見上げ、よそいきの欠片《かけら》も感じさせなかった。むしろ、他の選手の目を覚まさせようと、威嚇し続けていたような気がする。そう感じたのは第2戦の初回、1番のチャック・ノブロックがライト前にヒットを放った時だった。ボールを捕ったイチローは、ノブロックが一塁で止まっていたのにもかかわらず、セカンドのブーンに全力で返球したのである。いつ、いかなる時もスキを見せない——イチローの精神的なレベルの高さを見せつけられた一瞬だった。

「ゲームに対する気持ち、想いというものが強ければ、それは精神的なレベルが高いということになるんでしょう。そういう選手は、ガッツポーズをしたり、ヘルメットを投げつけたり、叫んだり、悔しがったり、そういう感情を表に出したりはしないですよ。メジャーにはそういう選手が多い。特にヤンキースには多いんじゃないですか」

ニューヨークが特別な意味を持ってしまった2001年。ヤンキースに敗れた10月22日、その日は、彼の28歳の誕生日だった。

「気づくと、あの試合のことを考えてるんですよね。凄かったでしょ、ヤンキースタジアムの雰囲気が……なんか、思い出しますよね」

1年目の最後にその目に焼きつけたのは、メジャーでは初めて守るレフトから見たヤンキースタジアムの風景だった。だからこそ普段と違う雰囲気を感じたのかもしれない。

「それもあったかもしれないですね……」

ニューヨークに降り注いだ歓喜の声に包まれながら、最後まで無表情のままベンチに引き揚げてきたイチロー。仮面のようなその表情こそが、彼の誇りだった。〝普通〟を貫いたメジャー1年目、イチローはついに誰にも負けなかったのである——。

2001年成績　157試合　692打数（リーグ1位）242安打（リーグ1位）8本塁打
69打点　打率・350（リーグ1位）56盗塁（リーグ1位）リーグMVP、新人王、首位打者、盗塁王、シルバースラッガー賞、ゴールドグラブ賞　オールスター選出

「僕がピッチャーなら、バッターのイチローは絶対に抑えられない」

[第20回 Number MVP 発表] イチロー「99%の満足」Sports Graphic Number 541/JAN 2002

日韓共催のW杯を翌年に控えて日本中が盛り上がる2001年。メジャー1年目にしてリーグMVPを獲得したイチローは、サッカー人気に押され気味だったこの国の野球好きを魅了して、2回目のナンバーMVPにも選ばれた。イチローはインタビューで「グリップが残る」「詰まることを恐れない」「準備」など、独特の言葉を使って自身の野球観を表現した。イチローの紡いだそれらの言葉が今では野球の共通語になっている事実もまた、興味深い。

イチロー　今日は何の話？　ワールドカップの話だっけ（笑）。日本はダークホースですね、スピードと組織力で。

――どこで仕入れたんですか、そんな話（笑）。

イチロー　日本代表、何試合か見たことありますからね。見ていたら、そういう特徴も素人なりに感じること、あるじゃないですか。個々の能力はよく知らないけれど、組織的な動きは他の国より長《た》けているなって。

――6月、アメリカでもテレビで観られますね。あ、日本戦はやらないかな。

イチロー　この前もアメリカ人に「日本は、どうなんだ」って聞かれたんです。だから言っちゃいましたよ、偉そうに。「うん、スピードと組織力は抜群だから、けっこうやると思うよ。侮れないよ」って（笑）。

――実は……2回目のナンバーMVPを受賞されました。2回受賞された方は初めてです。今日は、その話で（笑）。

イチロー　ありがとうございます。1回はチャンスがあるけど、2回というのはなかなかないですよね。それは重いことだと受け止めております。

――去年、メジャーでいきなり首位打者とMVPを獲った。日本では何度も獲ってきたタイトルですが、日本とメジャーとでは、やはり満足の度合は違いますか？

イチロー　満足感というのはタイトルを獲った、獲らないということで得られるものではないんですね。'99年、2000年は自分にとってすごくいい状態にあって、それなりに満足していましたけど、途中で（故障して）ゲームに出られなくなったでしょう。でも、去年は出場試合が多かった。その中で出した結果ということを考えれば、満足度は今までの中でも高いと言えるでしょうね。

――それは、メジャーでの結果だから、ということではなくて？

イチロー　いや、もちろんそういう要素はあるけど、それを抜きにしても。

――'99年のシーズン中、バッティングに関して探し求めてきた、常にいい打球を打つための〝感覚〟をつかんだ。それ以降、初めてフルシーズンを戦えた。そういう満足感ですか？

イチロー　そうですね、ハイ。

――メジャーでプレーするにあたって、一番の目標というのは何だったんですか？

イチロー　去年というのは、自分が違う環境の中でどれくらい力を発揮できるかを見定める年だったんです。シーズンが162試合ある、移動の方法も違う、時差もある、ロードでは思うように食事もできない……そういう環境の中で自分がどのくらいの力を発揮できるのか。それを見定めるためにはゲームに出ないと話にならないわけです。もちろん休めば一時的にはいいんだろうけど、見定めるためには適していない。だからどんな状態であってもゲームに出る、それが一番の目標でした。

——その目標は達成できたと思っていますか？

イチロー　うん、できたと思います。

——じゃあ、逆に達成できなかった目標は？

イチロー　盗塁ですね。

——え？　盗塁王を獲ったのに？

イチロー　盗塁は、もっと簡単にできると思っていたんです。でも、そんなに甘くはなかったですね。すごく難しかった。紙一重の勝負が多かったし、もっと余裕のある走塁、楽々セーフになる盗塁が多いと予想していたんですが、決してそうではなかった。

——事前のイメージと何が違っていた？

イチロー　それは、相手バッテリーの能力ですよ。ここはどうしてもやられたくない、という時はすごかったですね。あらゆることをやってきます。そういう場面で盗塁を決めるのはものすごく難しかったですね。

——メジャーのピッチャーはクイックがうまくない、というイメージがありますけど。

イチロー　そうじゃないんです。もちろん状況によって無警戒にされたり、クイックしない時も多い。でも、ここという場面では走らせてくれないですよ。まずピッチャーがこちらに意識があることを匂わせますよね、背中で。牽制をする以前に、体全体を使って匂わせるんです。で、あらゆるタイミングで牽制をする。長く持ったり短く持ったり、違うタイミングで牽制をしてくる。その上にキャッチャーのスローイングは捕ってからの動きも速いし、肩も違う。日本では絶対にセーフだというタイミングでスタートを切れたのに、楽々とアウトにされたこともありましたからね。イバン・ロドリゲス（レンジャーズ）とか、ディアズ（インディアンズ）とか。だから数は別にして、自分の中での成功率は低かった。もちろんヒットエンドランのサインが出ていた時は失敗と考えていないし、日本では絶対にセーフになる時しかトライしなかったので単純な数字の比較はできませんけど、感覚の中では低いと思います。

――日本では、自分だけが持つ何か特別なものを持ちながらプレーしていたと思うのですが、メジャーに行ってみて、その〝自分だけが持っていた〟はずのものを持っていた選手って、誰かいましたか？

イチロー　ジーター（ヤンキース）ですね。

――ジーター？　彼が持っていたものとは何ですか？

イチロー　とにかく、相手にするとイヤな選手なんです。何がイヤなのかというと、まず、空振りをなかなかしてくれない。それは、彼がステップしても最後までグリップが残っていて、バットがギリギリまで出てこない選手だからなんですよ。しかも、詰まることを恐れない。

――詰まることを恐れない？

イチロー　そう、彼は詰まることをイヤがらない選手です。詰まらされると、ピッチャーのまっすぐに負けたという意識を持たされるから、イヤがる選手って多いと思うんですよ。でも、それを恐れなければいろんなチャンスが生まれてくる。例えば、ツーストライクに追い込まれてからのインサイド高めをレフト前に持っていく、という作業は、そういうチャンスを生かしたものです。

――詰まることを恐れなかった結果として、それがヒットにつながることがある、ということ？

イチロー　結果として、ではなくて、そこへ持っていってるんですよ、意図的に。ツーストライクに追い込まれた時、詰まることを恐れてインサイド高めという一番難しいところに意識を置くと、前で捌こうという打ち方になる。そこに来ればいい当たりを打てますけど、外角の球はまず見逃してしまうか、打ってもいい結果は生まれない。でも詰まることを恐れなければ、ツーストライクの後、アウトサイドに意識を置いておいても、インサイド高めを詰まってヒットにできるんです。もちろん僕も、詰まることは恐れません。それは、技術なんです。そうやってヒットを打つやり方もある。そういう選手は、日本には滅多にいなかったですよ。落合（博満）さんなんかはそういうタイプでしょう。最後の最後までグリップがトップの位置に残っている選手が打席に入ってくると、僕はものすごく守りにくいし、ピッチャーも絶対にイヤなはずです。しかも、そういう選手は穴が少ない。どんな球でも当てる可能性を持っているから、いつも次のチャンスが巡ってくることになる。ピッチャーとしては厄介ですよね。せっかくいい球を投げても当てられて、次にまたいい球を投げなきゃいけない。メジャーにもいいバッターはたくさんいましたけど、穴もたくさんあります。でもジーターという選手には、それがなかったんです。

――トップの位置にグリップを残す、という意識は、以前から持っていたものですか？

イチロー　崩されてもグリップが残る、というのは、僕のバッティングの生命線ですからね。別に、練習で何かを意識してやったわけじゃないんですよ。僕の場合は、自然にできていた。だから人のを見て、僕には普通だったことがどうやら普通と違うようだとわかったんです。僕は体に任せていただけなんですけどね。

――子供の頃から知らず知らずのうちにできていた、ということ？

イチロー　そうです。

――プロの選手にもできない技術を持っていたなんて、末恐ろしい子供ですね（笑）。他にも、今思えば野球に役立ったかなと思うこと、何かありましたか？

イチロー　子供の頃、僕はステーションワゴンの後ろに乗せてもらうのが大好きで、乗るとずっと上を向いていたんです。そうすると電線が見えるんですけど、そこにつなぎ目みたいな丸い点があったんですね、規則的に。それを見たら目をつぶる、また見えたらつぶる、そんなこともしてましたね。あと、バスに乗っている時も、電信柱が真横に来たなと思ったら目をつぶるとか、そういうことはしょっちゅうやってましたよ。こう、何かに合わせたいんですよね、きっちり。

——性格ですか、それ？

イチロー　うん。ちゃんと、きっちりしないと気がすまないっていうのは、子供の頃からじゃないですか。牛島（和彦）さんの話を聞いた時に思ったんですよ。牛島さんが中日にドラフト1位で指名されて、入団発表をした時、記者の人に「9回裏、ツーアウト満塁、ツースリーの場面、何を投げますか」って聞かれた。そしたら牛島さん、「それは、どういう状況で、バッターはどんなタイプで……」って聞き返したらしいんですよね。その話を子供の頃に聞かされて、「そりゃ、そうだなぁ、凄いなぁ」と思った。それは覚えてますね。

——自分自身で、〝鈴木一朗〟って、どんなヤツだと思ってます？

イチロー　うーん……どんなヤツだろう。まぁ、つきあいづらいヤツだろうね（笑）。どっちかというと、理屈で話を進めていくタイプだから。理屈じゃないところが多い人って、けっこういるじゃないですか。僕はそこを突いていっちゃうわけですよ。そうすると、「やなヤツだなあ」って思われるでしょう。それは、つきあいづらいですよね。そうじゃないと納得できない性格だから。理屈で理解させてくれないと、消化不良な感じがするんです。

――でも、突き詰めないと気がすまない性格も、野球に役立っているのかもしれないですね。

イチロー　まぁ、そうですね。自分がどういう状態にあるか、それを把握して準備をするためには、そういうことは必要ですからね。それは、感覚だけに頼っていては難しいですよ。確かに感覚も大事ですけど、それだけでは長続きしませんから。

――〝準備〟という言葉をよく口にされますが、その言葉を使いだしたのはいつ頃からですか？

イチロー　オリックスに入って、一軍のゲームに出るようになってからだから、プロ3年目以降でしょうね。

――なぜ、どんな意識で、その言葉を使うようになったのか、覚えていますか？

イチロー　'94年に210本のヒットを打って、もてはやされて……その時の自分というのは気分よくさせられて、少し浮ついていたと思うんですよね。ただ、いい時はそれでもいいんですけど、悪くなった時の周りの反応というのはものすごく差が激しいものなんだということも思い知らされました。あぁ、世の中というのはこういうものだなって。その頃、自分で『いったい何が大事なんだろう』って考えたんです。人の期待に応えることなのか、自分の持っているものを出すことなのか。それを天秤にかけると、自分が力を出すことの方が絶対に大事だと思いました。そこからですね、ゲームに入っていくためにいろいろな準備をしなくてはいけないと思うようになったのは。準備をしておけば、試合が終わった時にも後悔がないじゃないですか。例えば、グラブの手入れを前の日にしなかった。その次のゲームでたまたまよくないプレーをしてしまったら、おそらくそこで後悔が生まれるわけですよ。そういう要素をなくしていきたい。試合に入るまでに、全部。それで試合に臨みたい。そうすれば、どうしてダメだったかという理由もわかりやすいですからね。要するに〝準備〟というのは、言い訳の材料となり得るものを排除していく、そのために考え得るすべてのことをこなしていく、ということですね。

——例えば、初めての球場に行った時には、具体的にどういう準備をするのですか？

イチロー　まず、芝生の状態を見ます。深さとか刈り方ですね。で、ゴロの打球がどう変化してくるか。そういう知識をあらかじめ持つことは、当然必要です。次にフェンスの形と高さを見ます。それから定位置がこの球場ではどのあたりになるのか、太陽はどこから昇ってくるのか、どこへ沈んでいくのかを確認して、あとはクッションボールですね。ライト線に飛んだ打球のクッションを捕ったら、どっちに振り向けばセカンドベースに投げられるかは、球場によって違うわけです。捕って、振り返ってからセカンドベースを見て、という判断では遅いんです。捕る時には背中でセカンドベースの方向を感じ取っていなければならない。そのために、そこからの風景を知っておく必要があります。アメリカは、球場ごとに風景が全部、違いますからね。

——バッティングに関しても、メジャーに向けた特別な準備をしていたのですか？

イチロー　これは、スプリング・トレーニングの間でしたね。最初は、日本で使っていたものをそのまま持っていったんですけど、しばらくやったら、どうも自分の描いたイメージとポイントが一致しない。ボールをうまく捉えることができないんです。芯で捉えられるはずの感覚が、球に押されているというか、球一個分くらい、芯よりも手前、バットの根元側に当たってしまうことが多かった。最初は、まだ春だし感覚が戻ってこないからかな、とも思ったんですけど、オープン戦も中盤になって、どうやら違うようだと感じたんです。

——中盤というのは、いつ頃？

イチロー　遠征でオークランドと初めてやった時（3月17日）だったかな。マルダーが投げた試合。あの時、自分の打球が打てないことに初めて不安を感じました。で、どうしてそうなるのかを考えたら、ピッチャーのフォームによるものではないかと気づいたんです。タイミングがずいぶん違うんですよ。〝1、2、3〟と〝1、2の、3〟の違いだというのが一番わかりやすいと思いますけど、アメリカにはそういう投げ方のピッチャーが多い。だから、足を上げてから球を離すまでが速い、と感じたんですね。だから、その部分を自分のバッティングフォームから削除する、という作業を行ないました。

――削除？

イチロー　ピッチャーに〝の〟の間がないのだから、こちらも間を抜かなくてはいけないということです。そういう作業が必要だったんです。大きく弧を描いて右足を上げていたのを、まっすぐ、スッと上げてやればいい。足の上げ方を小さくすればいいと。

――それによって、何か感覚が狂ったりするような心配はなかったんですか。

イチロー　それはなかったですね。あの動きは余分なものでしたから。できればなくしたいものでしょう。もともとの目的は、力を最大限に打球に伝えていくことであったり、ゆっくりとタイミングをとることであったりしたんですけど、同じ力を伝えられるのであれば、ない方がいいわけですよ。小さい動作でも同じ力を伝えられるだけの筋力、体の使い方が身につきましたからね。

――どのくらい時間をかけたんですか？

イチロー　まず鏡の前でイメージしながらスウィングしてみました。でも、次の（カブス戦の）試合前の練習ではそのスウィングでは打たなかった。そしたらやっぱりおかしかったんです。だから鏡の前に行って、もう一度スウィングしてみた。それをそのままゲームでやったらずいぶん感覚が違ったんですね。その試合でヒットは出なかったんですけど、感覚的には頭で描いたポイントと球を捉えるポイントが近づいてきたような気がしました。で、その次のゲーム（3月20日）がまたオークランド戦で、その日に、最初からいい感じのツーベースヒットやホームランが出たんで、そこで感じたんですね、これで大丈夫だ、問題ない、と。

——たったの2、3日で、唯一の修正を完璧に終わらせてしまったということですか？

イチロー そこからは基本的には何も変えてないです。もともと、右足を大きく上げる前にはその形で打っていましたからね。持っていたものを引き出しの中から引っぱり出してきただけですし、そのくらいで修正できても不思議ではないですよ。むしろ、開幕の時点で、そういう（修正が終わった）状態であった、というのが大きかったですね。なにしろ、初めて行ったアメリカで、あれだけ注目されていたわけですから。

——シーズンに入ってから、精神的に苦しかったこともあったんですか？

イチロー 開幕戦で3打席凡退した後の、4打席目。すごいプレッシャーでしたね。ありゃあ、苦しかった。やっぱり背負ってるじゃないですか、後ろに。

——何を？

イチロー 日本からの目を。それは、このへんにチラホラ湧いてきますよね。やっぱり、人の目を気にするのはしんどいですよ。3打席目は三振だったから、なおさらですね。あの時が一番苦しかった。

――その苦しさを乗り越えられた、そんな自分を支えたものって、何だったんですか？

イチロー　それは、さっきの感覚を持てたことですよ。スプリング・トレーニングの間に。あれがなかったら、もっと苦しんだでしょうね。

――そういう意味で2年目は余裕を持って臨めると思うのですが、数字とかタイトルとか、そういうものへの関心はありますか？

イチロー　タイトルにはないですよ。（ヒットを）２００本、もう一回打ちたいというのはありますね。でも、その程度です。

――今年は相手チームが研究してくるという声もありますが、そういうマークに対してどういう準備が必要だと思っていますか？

イチロー　そんなの、体調の管理だけじゃないですか。だって、どんな球を投げるのかもわかってるし、変わるとしたら配球だけでしょう。それも、僕は読むタイプじゃないし。それに、研究したからといってその通りにできる選手も少ないでしょうしね。

――じゃあ、元ピッチャーとして、もし自分が投げたらイチローというバッターをどう抑えるか、イメージできますか？

イチロー　え、僕が？　うーん、僕がピッチャーなら、バッターのイチローは絶対に抑えられないですよ。

――抑えられない?

イチロー　無理、無理、無理。もう真ん中に投げて、打ち損じを期待するしかない。打ち取ったという意識は持てないでしょうね。「あ、ミスしてくれたな」ということはあっても、打ち取るなんて、絶対、無理ですよ。だって、バッターがイチローなら、ピッチャーもあの〝イチロー〟なんですから(笑)。

「とにかく、勝ちを重ねていくことですよ」

［開幕3連戦から探る］イチロー＆マリナーズ「2年目の野心」Sports Graphic Number 547/APR 2002

マリナーズ、2002年の開幕戦。イチローは通用するのか、しないのかと色眼鏡で見られたメジャー1年目とは違い、2年目のイチローはもはやマリナーズの主役だった。メジャー新人最多安打の記録を90年ぶりに塗り替え、史上2人目の新人王とリーグMVPとの同時受賞も果たした1年目のイチロー。あっという間にメジャーのトップにまで上り詰めたイチローではあるが、彼の向上心は尽きることがない。開幕からのイチローを追った。

立っている場所は、同じだった。

セーフコ・フィールドで行なわれた開幕戦のスターティング・ラインアップに名を連ねた選手たちは、セレモニーで順番に紹介され、横一列にフィールドに並んでいた。そしてマリナーズの指揮官、ルー・ピネラのすぐ横、1番打者にのみ与えられる特別な場所には、今年もイチローが立った。しかも彼は列に加わるなり、いきなり何やら軽口を叩いて敵軍の主力選手たちを笑わせた。

「挨拶をしただけですよ。まぁ、彼らの喜ぶ挨拶ですけどね（笑）」

シカゴ・ホワイトソックスの1番、ケニー・ロフトンが、2番のレイ・ダーラムが、そして3番のフランク・トーマスが、イチローの一言に腹を抱えて笑っていた。


イチロー、メジャー2年目の開幕。

そこには、1年前とほとんど変わらないイチローがいた。今年もまた、オープン戦で結果を残し、マリナーズの白いユニフォームを着て颯爽とフィールドに現れ、1番打者として同じ場所に立っている。違いを探すとすれば、そんな彼に向けられた周囲の目と、彼が周囲に対して向けている目だけだっただろう。日本からやって来たスーパースターがいったいどれほどのものなのか、イチローを斜めに見ていたアメリカの人々の疑心暗鬼の目は、1年という時を経てすっかり塗り替えられていた。そして、メジャーリーガーという存在を見つめるイチローの意識も、1年前とはかなり違っていた。

「去年はメジャーの選手たちに対して、『コイツら、開幕したらガラリと変わるんじゃないか』という不安がありましたけど、今年はそういうこともありませんでしたから、ごく普通にできましたよ。春のキャンプが長いので、ここまで長かったという印象ですけど、やはり（公式戦は）球場の雰囲気も違いますし、今年も始まったという感じがしますね」

チャリティゲームを含むオープン戦で、77打数27安打、打率・351を弾き出したイチロー。いつでもどこでも、どんな時でも、バッターにとっては高度な領域にあるはずの〝3割5分〟という結果を残せてしまうこのバッターには、いったい他のバッターにはない何が備わっているというのだろう。ホワイトソックスとの開幕3連戦、イチローが立った15打席から、イチローにだけ備わっている多彩なオプションを探してみた。

4月1日、開幕戦。●マリナーズ5―6ホワイトソックス○　イチロー、5打数3安打。

ホワイトソックスの先発はマーク・バーリー。昨季は16勝（8敗）をあげた、23歳のサウスポーである。ストレートは90マイル（144㎞）を少し超える程度だが、75マイル（120㎞）の大きく曲がるカーブと、80マイル（128㎞）を超えるカットボールが、左バッターのアウトコースにきっちりコントロールされてくる。

特筆すべきは、第1打席だった。

初球、外角高めにストレートが決まってワンストライク。2球目、初球より少し高めのストレートをイチローは振りにいって、ファウル。あっという間にツーナッシングと追い込まれてしまった。イチローはこう言った。

「左バッターのアウトコースいっぱいのところへボール1個分のコントロールができるピッチャーですから、そこでカウントをとられてしまいます。だから追い込まれるまでに、そのアウトコースのボールを1球振っておきたかった。あのアウトコースは、なかなか手の出づらいところですからね」

3球目、4球目とアウトコースいっぱいにカーブが来る。いずれもボールとなって、2―2。続く5球目、バーリーは今度は外のストレートで勝負に来た。91マイルの、見送ればボールかもしれない外角やや低いボールを、イチローはファウルで逃げた。そして6球目、さらにほんのわずかに外のストレートを見送ってボール。

この時点で、イチローにとってのアウトコースの見極めは終わっていた。そしてバーリーとサンディ・アロマー・ジュニアのバッテリーは追いつめられていた。あくまで外を攻めるか。外では打ち取れないと、一転、内角を突くか。イチローの方は、内角を想定して前で捌《さば》こうと待っていては、外角の球で抜かれた時についていけない危険性が高い。あくまで見極めた外角を待ちながら、内角には「詰まることを恐れない」（イチロー）で、対応するというわけだ。

そしてバーリーは、2―3から91マイルのストレートをインハイに投げ込んできた。ややボール気味の球だったが、「フォアボールを狙いにいくようなバッターはその時点で負けている」（イチロー）という、アグレッシブなリーディング・オフ、イチローのバットが咄嗟《とっさ》に反応する。

普通、ほとんどのバッターは、速球に力負けしたというイメージを嫌がり、詰まることを恐れるのだが、それを恐れずにあえてわざと詰まらせる「これは僕の技術です」（イチロー）というワザありのヒット。これこそ、イチロー独特のオプションである。2002年の第1打席は、イチローならではのバッティングで幕を開けた。

4月2日、第2戦。○マリナーズ7―4ホワイトソックス● イチロー、5打数1安打。

ホワイトソックスの先発はパイレーツから移籍してきたトッド・リッチー。昨季は11勝15敗に終わったが、'99年には15勝をマークしたこともある、30歳の本格派右腕だ。ストレートは最速で95マイル（152km）を記録。しかもそのストレートが微妙に動く。この日、イチローは、リッチーに3打数ノーヒットに抑えられた。しかしその結果とイチローの印象は、まったく一致していなかった。

「ストレートが動くイメージは、僕は持ちませんでしたよ。スピードはありましたけど、打ちにくいピッチャーだとは思いませんでした。ヒットに出来た打席ばかりでしたからね」

第1打席は低めのストレートに空振りの三振。第2打席は真ん中やや内寄りのストレートをセンターフライ。第3打席は外角の変化球をしっかり振り切ったが、セカンドゴロ。

「どれもこれも、ほんの数ミリの違いなんです。しっかりと捉えられるはずのボールばかりだったのに、よし、いける、と思うと、体がミスをしてしまう。気持ちによって体の動きにミスが出るというのは、技術という部分の話ではないですから、簡単に修正するというわけにはいきませんしね」


それでも、この日の1安打は、実に意味のあるヒットだった。先発のジェイミー・モイヤーがホワイトソックス打線を2点に抑え、1点リードの状況でつないだマリナーズが誇る最強のブルペン、その柱ともいえるジェフ・ネルソン、アーサー・ローズが打たれて、3—4と逆転を許した直後の7回裏。ホワイトソックスも好投の先発リッチーから中継ぎのロレンゾ・バーセロにつなぐや、マリナーズの下位打線が一気に攻め立てて、ワンアウト一、二塁。ここで、打席にイチローが立った。ホワイトソックスは、3人目のダマソ・マーテにつなぐ。サイドハンドから左バッターのアウトコースへ大きく曲がる、逃げるカーブを武器とするサウスポーだ。

マーテはひたすら、同じボールを投げ続けた。アウトコースいっぱいに曲がってくるカーブ。初球はストライク、2球目がボール、3球目にまたストライク。イチローは、すべて見逃して、ツーストライクに追い込まれてしまった。そして4球目。1、3球目のストライクよりさらに外、しかし2球目のボール球よりは少し内側という、実に微妙なコースに同じカーブを投げてきた。イチローはそのボールを振りにいった。そして、かろうじてバットに当てる。ファウル――。

「あのボールをファウルにできたことは大きかったと思います。ずっとアウトコースにカーブが来ていましたから、意識としてはそろそろインコースにストレートが来るかな、と思って、真っすぐを待っていました。オープン戦で、左ピッチャーの速いストレートを待って、それでもカーブやスライダーが来た時、それをファウルにできるかどうか、ということはさんざん試してきましたから」

決まったと思ったはずの外角カーブをファウルで凌がれたマーテは、2―1からストレートを投げることが出来ず、またも外角にカーブを投げた。その球が高く浮いた分、イチローはバットをかぶせるようにボールを叩き、インフィールドに入れることができた。三遊間、深いところに転がった打球は、ショートのロイス・クレイトンが捕っただけの内野安打。これで1死満塁としたマリナーズは、2番のマーク・マクレモアが押し出しの四球を選んで同点、さらに

3番ブレット・ブーンがセンター前に運んで逆転に成功した。その後は長谷川滋利が好投、最後は佐々木主浩が締め、マリナーズ、今季初勝利。逆転への呼び水となったイチローの内野安打が、試合の流れを決める重要な分岐点となっていた。

開幕戦のバーリーからのレフト前ヒットと2戦目のマーテからのショート内野安打には、実は二つの共通点がある。いずれも「ツーストライクに追い込まれて」から打った、「決して綺麗ではない」ヒットだった、というところだ。ここに、イチローのオプションを読み解くカギがある。

「僕はずっと強い打球を打ちたいという思いが強かったし、それはもちろん今も強いんですけど、その後になって、少し違う思いも出てきました。それが、たとえばツーストライクに追い込まれてからはどうすればいいのか、そういう時には強い打球を打ちにいくよりもいろんな技術でファウルにしたり、ヒットにしたいという、そういう思いでした」

去年、オールスター前にア・リーグの打率部門でイチローよりも上にいたのは、・358のロベルト・アロマーと・347のホワン・ゴンザレス（いずれも当時インディアンズ）だったが、後半戦、アロマーは・309、ゴンザレスは・295と打率を落とした。逆に後半戦、・367で打率トップだったジェイソン・ジアンビ（当時アスレチックス）の前半戦の打率は・322、・358で2位だったフランク・カタラノット（レンジャーズ）の前半戦は

・297。オールスター前に・345、後半は・356と、前後半を通じて高打率を残していたのはイチローだけだった。

彼がこれほど安定して打率を残せるのは、追いつめられた時のオプションをいくつも持っているからだ。いくら強い打球を打てるポイントが他のバッターに比べて広いとはいえ、ピッチャーがそのゾーンに投げてくれる確率はそう高くはない。ツーストライクまでは強いスウィングで勝負にいけても、追い込まれてから同じことをしていてはどうしてもリスクは高くなる。そこでイチローは、ツーストライク後は自分のモードを切り替える。広く待って、予測外のコースにボールが来た時、それをどう捌くか。そういう境地に達しているのだ。オープン戦で絶好球をあっさり見逃していたのも、わざとツーストライクに追い込ませておいて、そこからの対応を試すためだった。イチローは開幕前にこう言っている。

「いろいろとやらせてもらいましたが、この時期だけで完璧にこなすのは難しい。出来ることは、やったつもりです」

4月3日、第3戦。○マリナーズ7×─6ホワイトソックス●　イチロー、5打数1安打。

この試合のハイライトは、第5打席。マウンドには、ホワイトソックスのクローザー、キース・フォーク。3点のリードは、昨季42セーブをあげたフォークには十分すぎる点差だったはずだ。しかしフォークは、あっという間に4本のヒットを打たれて1点差にまで追い上げられ、

1死一、三塁のピンチでイチローを迎える。そして、2球目のファーストストライクをイチローは強振。強く弾かれた打球はあっという間にセンター前に落ち、同点となる。こうなったら強いのが昨年来のマリナーズ。最後は、ブーンのサヨナラヒットで連夜の逆転勝ちを決め、ホワイトソックスとの開幕3連戦を2勝1敗と勝ち越した。そして逆転のカギを握っていたのは、したたかで抜け目のないトップバッターだったのだ。

悲願のワールドシリーズ初出場を目指すマリナーズ。史上最多タイの116勝をマークした去年のチームは本当に強かったのか、それとも強くなかったのか。その答は、このチームがいったいどこを目指しているのかによって変わってくるはずだ。シーズンの勝ち星に達成感を感じていたのならば、マリナーズは強いチームだった。しかし、ワールドシリーズ制覇というところを本気で目指す意識が強かったのならば、ヤンキースに不様に敗れたマリナーズは、決して強くはなかった。

しかも今年は、投手陣のまとめ役だったアーロン・シーリーがFAで抜け、チーム内のどうでもいいことを裁いて選手から罰金を集める、通称〝カンガルー・コート〟の裁判長だったジェイ・ビューナーも引退してしまった。後任にはブーンが有力らしいのだが、何しろ彼は典型的なお調子者のお坊っちゃま。投手陣のまとめ役を期待されるベテラン、モイヤーもマイペースで、苦境に陥ったチームをまとめあげるタイプだとは言えない。戦力的にはブルペンに長谷川滋利、サードに強打のジェフ・シリーロを加えたマリナーズだが、ヤンキースを倒すための〝一丸〟をもたらす核となる存在が見当たらないことが、今のところの最大のウィークポイントだろう。1年目に実績を残したイチローにも、2年目にはチームの中で課せられる新たな役割が生じてくるのだろうか。

「うーん、(自分には)もう去年以上のものはないと思っていますけどね。去年、1年間にやったことで、チームメイトが僕に対して何かを求めることはいいと思うんですけど、じゃあ、僕が張り切って何かをしようということはないと思います。そういうものは自然に出来上がってくるものだし、それ(チームの和)は存在しないといけないし、それがないと野球は勝てません。とにかく、勝ちを重ねていくことですよ」

星を落とせないホワイトソックスとの開幕3連戦で、イチローが残した数字は15打数5安打。ワザで魅せたヒットあり、逆転を呼ぶ内野安打あり、痛烈な当たりの同点タイムリーありと、その中身も濃密だった。それでもイチローは、こう嘆いていた。

「昨日も今日も、4本はヒットに出来たのになぁ。もう、ストレス溜まりまくりですよ」

ピッチャーにやられたという感覚が残ったのは15打席のうち、たったの3打席だけ。イチローが「体のミス」と位置づける凡打が7本もあったというのである。そして、そのうち1本でもミスをなくせば、打率は4割に届いてしまう。

「だから、まだまだできることはいくらでもあるんですよ——」
立っている場所は同じでも、今年のイチローの目は、少しだけ上に向けられていた。

２００２年成績　１５７試合　６４７打数　２０８安打　８本塁打　51打点　打率・３２１
31盗塁　ゴールドグラブ賞　オールスター選出

II 試練

2003-2005

「一番苦しいと感じるのは、できるのにできないということ」

［独占インタビュー］イチロー「屈辱の1カ月」Sports Graphic Number 576/MAY 2003

メジャー3年目、イチローは躓《つまず》いた。開幕からの1カ月、30試合でヒットが30本、打率は2割5分。イチローに何が起きているのかと誰もが知りたがった。2003年5月3日の深夜。イチローはシカゴの焼肉店で試合後の食事をしながら、〝屈辱の1カ月〟について語り始めた。イチローが陥ってしまったエアポケットは何だったのか――シーズン中に自身の異変を語ることなどあり得ないイチローが、真正面からその疑問に答えてくれた。

「そりゃ、屈辱ですよ」

イチローが、珍しく語気を強めた。

5月3日の深夜、シカゴ。この日のホワイトソックス戦を今シーズン初めて欠場したイチローは、「屈辱」という、思いもかけない言葉で開幕から1カ月のバッティングを振り返った。チームが30試合を消化した時点で、120打数30安打、打率2割5分。3割どころか、4割も期待され続けてきたイチローにしてみれば、確かに屈辱的な数字に違いない。それでも〝思いもかけない〟と書いたのは、彼が屈辱を感じながらプレーしていたことを素直に認めたことが意外だったからだ。

「30試合で30本のヒットというのは、もちろん、屈辱です。まぁ、2割5分という打率は別にどうでもいいんですよ、僕はそこにフォーカスはしませんから。ただ、30試合で30本のヒットというのは、とても納得できませんね。もう、ストレス溜まりまくりですよ」

イチローはシーズンが始まる前、「まずは1試合に1本のヒットを最低の目標とします」と話していた。シーズンに162本、そこからプラスアルファを何本積み重ねられるかと考えることで、毎年当たり前のようにかかってくる200本安打へのプレッシャーを軽減させようとしていたのだろう。そう考えれば、30試合で30本のヒットというのは、最低限の数字はクリアしている。しかし、そんな数字で気持ちが満たされるようなイチローであるはずがなかった。

屈辱の1カ月――試合を重ねても、イチローの打率がなかなか3割を超えないことで、さまざまな憶測が飛び交っていた。

相手が守備位置を研究した結果だという〝もっともらしい〟声。内角攻めにあっているからだという〝根拠のない〟推測。疲れているんじゃないかという、〝余計な〟心配。しかしながら、そういった憶測はまったくの的外れだ。配球や守備位置も含めたイチローに対する相手チームのアプローチは、内野安打が量産されていた1年目も、強い打球が内野手の正面を突く今年も、〝もっとも危険な打者〟であることに何の変わりもない。

では、ヒットが出なくなった原因はどこにあったのか。

イチローがエアポケットに陥ってしまったのは、開幕2試合目のことだった。

4月1日、敵地・オークランドでアスレチックスとの開幕戦を戦ったマリナーズ。3月のオープン戦を・382というハイアベレージで終えたイチローは、「自分に妥協することなくやってきたことで、また自信をつかむことができた」と言い切る、最高のコンディションを維持して、3年目のシーズンに突入した。

初戦こそティム・ハドソンの丁寧なピッチングの前に4打数ノーヒットに終わったものの、2試合目、イチローは昨年のサイ・ヤング賞投手、バリー・ジトーと対峙、いきなり今シーズンの初ヒットを放った。実は、この打席に大きな落とし穴が潜んでいたのである。

第1打席、初球。85マイル・アウトローのストレート。見逃し・ストライク。そして2球目は71マイル、真上からの落差を時計の針に喩《たと》えたいわゆる、12―6《トゥエルブシックス》と呼ばれるカーブ。その瞬間、イチローが反応した。ボールは痛烈なライナーとなってライト前に抜けていった。２００３年、イチローの初ヒット――。

「あのジトーとの最初の打席、ファーストストライクがアウトサイドのストレート。その次、2球目に、初めて見たカーブをいきなりヒットにするわけですよ。あのヒットは去年の夏までの僕だったらありえませんでした。最初に見たカーブは以前の僕なら手を出さない球、見逃してストライクになっているはずの球だったからです。でも今の僕は、ボールが来た瞬間、『あっ、打てる』と体が反応できてしまうから、あのカーブに手を出してる。それは、打てるポイントが多くなってるからなんです。ヒットになればそれでもいいんですけど、そういう球はイージーではないですから、どうしても（ヒットになる）確率は低くなってしまいます。そうなると完全な副作用ですね。特に今年は、左ピッチャーが投げる背中からのカーブがメチャクチャよく見えるんです。だから、ちょっとだけ欲が出てしまうんでしょう。だって、ああいうカーブは一番遠くに飛ばせる球ですからね」

副作用――イチローの使ったこの言葉こそが、4月の結果をもたらした病巣だった。いったい何の副作用だというのか。イチローは〝副作用〟の意味するところを、懸命に説明しようとしてくれた。

「自分の中にある感覚で言えば、捉えた、という感覚を持っているのに……いや、その表現だと少し違うなぁ……捉えられる、という感覚を持てるポイントがものすごく多くなってきていることが、裏目に出ているということかな。今の僕には、ヒットにできると思えるポイントがものすごくたくさんあるんですね。それによって、打つつもりのない球に対しても、打てるという自分が出て来てしまったんです。体が打てると勝手に判断するんですよ。だから、そういう球に手を出して、それが凡打になる。そういうケースがものすごく多いですね。だから、これは〝例の試み〟の副作用みたいなものだと思うんです」

去年、夏の終わり――。

突如、イチローの打率が下がり始めた。8月19日から始まったデトロイト、クリーブランド、ミネソタへの長期遠征。その間の10試合でイチローの残した数字は43打数12安打、・279。8月29日、打率を3割3分台に落としたイチローが、残りの試合で、打率を再び3割4分台に乗せることはなかった。

「よく8月以降と言われますけど、捉えたという感覚だったのに捉えられなかったと感じたのは、もっと前のことです。オールスターよりも前ですよ。これはヒットが出ていないこととは重ならないんです。ヒットは出てるけど、ちょっと違うなという感じ。これはいつか来るぞという、ジワジワとしたイヤな予感は、去年の7月にはもうありました」

言いしれぬ不安感に包まれながら、イチローは、ふと、ある感覚に出逢う。その時のことを、イチローはこんなふうに話していた。

「的確に捉えられていると思っていたボールが捉えられていないのがなぜなのかを考えているうちに、そういうミスをもっと減らせるんじゃないかというものを見つけたんです。具体的には、それをすれば自然とヘッドスピードが速くなるかもしれない、という感覚をもたらしてくれるものでした。もしこれができるようになれば、もっとたくさんのヒットが打てるかもしれないと思いましたよ。それが何なのかは言えませんけど（笑）」

イチローにこの話を聞いたのが、去年のシーズン終了直後。彼は「3年目のシーズンが終わったら、それが何だったのか言おうかな」と笑った。イチローが何を意識しているのかは、今もわからない。ただその結果、バットのヘッドが以前よりも速く走るようになり、その分、イチローの体が「ヒットにできる」と判断するポイントが劇的に増えたことだけは間違いない。そしてその過程で、思いもしない副作用が生じたのだという。今までならば見逃していたタフなストライクにも反応するようになった結果、ミスショットが増えてしまう。つまり、頭ではヒットにするのは難しいと判断しているのに、体がヒットにできると反応して打ちに行き、結果として凡打になる。イチローにとってはこの1カ月の屈辱的な結果は、さらにレベルの高い領域にたどり着くための産みの苦しみだったのだ。

「打てると思うポイントが広がって、ヒットを打つのが難しいはずのボールでも打ちに行っていたら、だんだん、完全に捉えられているはずのボールも捉えられなくなってきた。なぜだかはわかりませんけど、体の使い方に問題が出てきてしまったのかもしれません。だから、打席ではいつも何かを考えながら、微調整をしています。意識を置くポイントは、時期によって足だったり、手だったりするんですけど、少しずつ自分の中で思い描くイメージに自分の形を修正しています。単に打つことを繰り返しているだけじゃ、ダメです。そんなに簡単なもんじゃない。どうすればいいのかも、もちろん見えています。それはずっと見えてますし、だいぶ取り戻せたという実感も持てています」

イチローの力強い言葉を聞いた翌日、彼はサンダーストームが近づく強風のシカゴで、第2号のホームランをライトスタンドに叩き込んだ。ホワイトソックスの豪腕、バートロ・コローンが投げたど真ん中のストレート。球場表示では実に98マイル（157㎞）を弾き出していた。

「ここは実際より3マイル速く出ますから、95マイルくらいでしょう」と涼しい顔のイチローは、実は第1打席でもホームランとは紙一重のスウィングでファーストへのファウルフライを打ち上げている。

「狙ってたんだけどなぁ（苦笑）。コローンの初球を見て、これはいけると思ったんです。僕の感覚の中では、文句なし、2打席連続ホームランでしたよ」

3年目、思わぬエアポケットにはまってしまったイチローではあったが、そんな中でもチームが順調なスタートを切っていたのがせめてもの救いだった。マリナーズは、レベルの高いア・リーグ西地区でアスレチックス、エンゼルス、レンジャーズと戦い、ほぼ五分の星を残した後、中地区のインディアンズ、タイガースから確実に白星を積み重ね、西地区の首位として、東地区のトップ、ヤンキースとの直接対決を迎えていた。

4月29日からヤンキースタジアムで行われた3連戦は、ヤンキースが2勝1敗と勝ち越した。しかしこの3試合で、ヤンキースは実に6つの併殺を喫していた。2―1で競り勝った第3戦に至っては、アルフォンゾ・ソリアーノとホーヘイ・ポサダが放った2本のソロホームランによる2点だけ。4併殺の拙攻を繰り返しながら、マイク・ムシーナ、マリアノ・リベラの完璧な継投で、マリナーズの反撃をかろうじて喰い止めた。一見、接戦の好ゲーム。それでもイチローは、点差からではわからない、ヤンキースの変わらぬ強さをフィールドの上で実感していた。

「拙《まず》い攻めが続いたとしても、ちゃんとホームランが出るんですよね。それもヤンキースの強さの大きな一部分なんです。戦い方、勝ち方のパターンが、他のチームよりもたくさんある。何かが崩れたとして、それで自分たちのリズムを崩すようなチームではダメですから。先発ピッチャーが崩れても、打線で打ち勝つ。あるいは打線が打てなくても、先発が完璧なピッチングをする。ホームランも打てるし、細かいプレーもできる。そういう選手がズラッと並ぶことで、ヤンキースの選手たちが何も特別なことをしなくても、相手が勝手にこけてしまう、そういう勝ちパターンまで自分のものにしている。それがヤンキースというチームの強さなんだと思います」

一口に〝ヤンキース〟といっても、毎年、何人かのレギュラーは入れ替わっている。それでも受け継がれるのが伝統の力なのか、ピンストライプに身を包むと、選手たちはヤンキースの色に染められていく。

2001年4月、初めてのヤンキースタジアムでイチローの前に立ちはだかったヤンキースは、ティノ・マルティネス、ポール・オニール、スコット・ブローシャスといったベテランがチームを支えていた。そして去年、そのベテラン勢が揃ってチームを去った代わりに、ジェイソン・ジアンビ、ラウル・モンデシー、ロビン・ベンチュラといった他球団の主軸が相次いで入団、ヤンキースはチームのパワーレンジを一変させた。そしてさらに、今年のヤンキースにはニッポンのホームランキング、松井秀喜が加わった——。

「ヤンキースで唯一といってもいいくらい、弱い印象があったのがレフトというポジション。今年はそのレフトに松井君が入ったわけですから、当然、戦力アップですよね。弱くなるはずがない。ジーターがケガをして試合に出ていないのにこれだけ勝ってるわけですから、去年までのヤンキースよりも、持っている潜在能力というものを比べれば、遥かにスキがなくなっていると思います」

一方のマリナーズは、今シーズンからボブ・メルビンを新監督に迎えて、チーム作りをする上でずっと念頭に置いてきた〝スモール・ボール（細かい野球）〟のさらなる充実を目指してきた。オープン戦では起こったミスの反復を翌日の練習で必ずメニューに取り入れたり、球場ごとに守備位置の確認を徹底したりと、去年までのルー・ピネラ率いるマリナーズには見られなかった意識の違いがあちこちで見受けられる。

去年のマリナーズには、どんな野球をめざすのか、その意識の徹底がまったくうかがえなかった。象徴的なのが、2番バッターだろう。去年、イチローが1番を打った試合で2番には8人もの選手が入ったのだが、その中で最も多かった2番がマーク・マクレモアだった。

イチローが出塁する。打席にはマクレモア。カウントが1ストライク3ボールになる。去年までのベンチからの指示は『このカウントになれば自動的にスタート』だった。この作戦の前提は、次の球がボールならフォアボール、ストライクならバッターは振りにいく、というところにある。最悪でも空振りをしてランナーをアシストするのが当然なのに、マクレモアはしばしばストライクを見逃した。その結果、イチローは二塁ベースの手前で何度も立ち往生した。

「今年、同じ状況になったとき、まずベンチから走れのサインが出なかったんです。おっと思っていたら、その直後にフルカウントになった。さすがにここは走れ、だよなと思っていたら、ベンチからレッドライト（走るな）のサインが出たんです。あれにはビックリしたし、感動しましたね」

スモール・ボールを標榜しながら、2番打者の資質に拘《かかわ》らず、ワンスリーでは自動的に走れ、と指示を出していたのでは、看板倒れも甚だしい。指揮官の視野の狭さがその原因だったのだが、今年はめざす野球と、監督の戦術にズレを感じることがないとイチローは言う。

「迷わずにプレーを選択できるんです。しかも2番にランディ・ウィンが入ってくれると、僕は本当にやりやすい。彼はすごく頭を使うプレイヤーなんです。だから今は塁に出たとしても、まったく不安がない。これは助かります。今年の僕は、常にチーム全体を見る目を持てているんですよ。去年までは自分を中心とした視野になっていて、僕の状態がいい時だけは視野が広がるという感じだったんですけど、今年は自分の状態がよくないのにチームの方にも目を向けられる。ここまでの僕の成績は良くなかったけど、常にチームが目指すものと同じ方向を向いていられたんです。だから僕はこの1カ月の経験から学ぶことはたくさんあったと思っています」

ニューヨークでヤンキースに負け越した後、シカゴでホワイトソックスを25年ぶりにスイープしたマリナーズは、5月6日からヤンキースをシアトルに迎え撃った。その初戦。イチローはいきなり3本のヒットを打って3打点をマークした。その試合後、イチローはこう言って、笑っていた。

「僕の中では、今日は〝6の6〟ですよ」

3本のヒットを打った後、イチローはショートフライ、センターフライ、レフトフライと、3本の飛球を打ち上げた。そのいずれもが、ミクロの誤差が生じてしまったミスショットであり、イチローにとってはヒットと紙一重のアウトだった。

彼は常々、「ヒットが出ているからといって状態がいいというわけでもないし、ヒットが出ていないから悪いというわけでもない」と、口にする。ヒットになるかどうかは、相手の守備位置やランナーの有無などに左右され、同じ打球でもその結果は変わってくる。だからこそイチローは結果ではなく、打球の質にこだわるのだ。そしてその質は、5月に入って明らかに高くなっている。

「僕は常に戦っています。苦しいのは当たり前だし、それもメジャーで野球をやる楽しみの一つなのかもしれません。一番苦しいと感じるのは、できるのにできないということ。相手にやられて、とてもそんなことは自分にはできないと思えるのなら、まだいいんです。それは自分の力の無さですから、もうしょうがない。でも、できるはずのことができないからこそ、歯痒いし、悔しいんです」

イチローが、ヤンキースタジアムのバッティングケージのところまで挨拶に出向いた松井と握手を交わした時のことだ。「アジャストするのが大変です」とこぼした松井に対して、イチローはこう言ったのだという。

「いいじゃん、だって日本ではそんなことはなかったんだし、それが楽しいんだからさ」

産みの苦しみがもたらした〝屈辱の1カ月〟。進化の過程において、これほどヒットが出なくなるというのはイチローにとっても誤算だったに違いないが、それもメジャーのレベルの高さがもたらした紙一重の結果に過ぎない。長く暗いトンネルの中でも、イチローは光が射し込む方角だけは見失ったことがなかった。あと、どのくらいだろう。近づく出口のその先には、未知の自分が待っている。

「え、トップって、何が？」

［3年目の愉悦］イチロー「歴史を背負う者として」Sports Graphic Number 581/AUG 2003

ファン投票は最多得票で、監督、選手間投票でも外野手でトップとなって、イチローは3度目のオールスターに選ばれた。開幕から苦しみながら、前半戦の最後には打率トップに躍り出て、イチローは堂々とシカゴに乗り込んだ。クラブハウスでは錚々《そうそう》たる顔ぶれのメジャーリーガーたちが、サインをくれ、話をしたいと、イチローのところへ近寄ってくる。イチローを包む、貫禄という名のオーラ――3年目のイチローが後半戦へ向けて、加速する。

イチローはキョトンとしていた。

「え、トップって、何が？」

前半戦の最終戦をシアトルで戦っていたイチローが、オークランドで4打数ノーヒットに終わったメルビン・モーラ（オリオールズ）の結果など、知る由もなかった。イチローが、ついにアメリカン・リーグの打率トップの座に躍り出たのだ。

「へーっ、それはカッコいいねぇ。オールスターの直前に、それはなかなか男前でしょう」

まるで他人事のような言い草ではあったが、イチローは満面の笑みを浮かべていた。7月13日、マリナーズの前指揮官、ルー・ピネラ率いるデビルレイズとの一戦。イチローは3本のヒットを放って、打率を・352にまで引き上げた。

「一番難しかったのは最後の一本ですね。あれはカーブを待っていて、カーブを打った。彼のカーブは内側からキレよく食い込んでくるから、待ってないと難しいんです」

待っていたカーブを打った——なんでもなく聞こえる一言だが、これはイチローが持っている高度なテクニックの一つだ。デビルレイズの左腕、ボビー・シーイのストレートはだいたい87〜88マイル（約140㎞）、カーブが69〜70マイル（約111㎞）。ツーワンと追い込まれてから、イチローはストレートを2球、カーブを2球ファウルして、9球目のカーブを右中間に弾き返した。着目すべきは、ストレートを2球ファウルしていることだ。イチローはカーブを待っていたと言った。緩い球を待ちながら、それで速い球にもついていくことができるからこそ、追い込まれてからでもカーブを待てる。

「あれでストレートが92〜93マイルだと苦しいけど、あのくらいならストレートはファウルにするか三塁線の上、というイメージを持ってカーブを待っても、十分に対応できます」

サラッと言ってのけたイチローの傍らをふと見ると、彼の荷物にこう書かれたシールが貼られていた。

〝ALL-STAR　GAME〟

前半の93試合を終えたマリナーズからは、5人分の荷物だけがシカゴに送られることになっていた。ホワイトソックスのホームグラウンド、USセルラー・フィールドで行われるオールスターゲーム。今年はイチローの他に長谷川滋利、ジェイミー・モイヤー、ブレット・ブーン、エドガー・マルティネスが出場する。わずか2日の休みを堪能しようという選手たちが足早に向かう駐車場の脇には、リンカーンのロングリムジンが2台、停まっていた。空港まではこのリムジンが用意され、シカゴまでは小型のプライベート・ジェットがチャーターされている。

「今年はホームランダービーに出たら、という話をちょくちょく言われたりして、それをどうやって逃れるかが最大のポイントでしたけど、そこはクリアできましたからね（笑）」

サングラスにヘッドホン、白いTシャツの上に黒のジャケットを着たイチローは、一人でセーフコ・フィールドから出てきた。妻の弓子さんは、愛犬・イッキュウと一緒にシアトルで留守番。リムジンの中では、すでにワインを飲み始めていたピネラ〝前〟監督が、なぜかイチローを待ち構えていた。所用でシカゴへ行くため、マリナーズのチャーター便に相乗りをしていくのだという。

「えーっ、マジっすか」

そう言って笑ったイチローは、覚悟を決めてピネラの待つリムジンに乗り込んだ。おそらく道中、ほろ酔い気分のピネラ監督は、イチローにタンパベイの若い選手たちの将来を延々と、自慢げに語り続けたのだろう。

午後5時、リムジンがセーフコ・フィールドを出発した。特別な一夜に向けて、イチローは旅立っていった。

3年連続でファン投票の最多得票。今年から行われた監督、選手間の投票でも、ア・リーグの外野手でトップ。イチローを包む空気は、豪華絢爛な舞台でも特別だった。この3年間、ファン投票から漏れたことのないフィールドプレイヤーは、イチローを含めてたったの5人。それも、バリー・ボンズ（ジャイアンツ）、アレックス・ロドリゲス（レンジャーズ）、マニー・ラミレス（レッドソックス）、トッド・ヘルトン（ロッキーズ）という錚々たる顔ぶれだ。

「オールスターで今までに見てきた選手が今年、どう見えるかというのは僕にとっても楽しみでしたけど、まったく見え方が変わっていましたね。どの選手も自分と変わらない、同じ土俵に上がっているんだという認識は確実に出てきました。選手の投票が大きかったんじゃないですか。あれによって一緒に戦っている選手もこんなふうに見てくれているんだという確信が得られましたから」

３年目にして感じる、愉悦。

練習中に写真を撮ってくれとせがまれる。クラブハウスではサインを求められる。そしてロッカーに座っていると、選手たちが話をしたいと寄ってくる。初出場の長谷川滋利がマウンドに上がれば、緊張を解きほぐそうと「シギーッ」と声をかけて笑いを取った。松井秀喜には自分から声をかけて、キャッチボールのパートナーを務めた。

「僕も1年目の時はどうしていいのかわからなかったし、その時の不安な気持ちというのはよくわかりましたから。キャッチボールを誰とすればいいのかというのは意外に難しいんです。そこで声をかけてあげられれば少しは安心してもらえるかなと思って……。最初、外野に歩いていく時、彼の方から『もう戸惑うようなこととか障害に感じるようなことはないですか』と聞かれたので、『普通に病気もしないケガもしない、体さえ保っておけば自分のプレーはできると思う』というようなことは言いましたね」

ゲームが始まると、イチローはセンターに入った松井と並んでライトを守った。そして4回、ナ・リーグのファン投票最高得票、アルバート・プホルス（カージナルス）が放った打球を、背走しながらジャンプしてつかんで見せた。「盛り上げようと思ってわざとスピードを緩めたせいで、スピード感のないジャンプになっちゃった」と苦笑いを浮かべたイチローには、余裕と自信があふれていた。

7回表まで守って、3回、打席に立った。最初の打席はファーストゴロ、あとの2打席はフォアボール。ヒットこそ出なかったものの、快足も披露し、ホームベースも踏んだ。凡打に終わった第1打席も、ナショナル・リーグのスターター、ジェイソン・シュミット（ジャイアンツ）の投げた初球のストレートに対し、いきなりバットを振り抜いてみせた。

「ほとんど見たことがない、ナ・リーグで最高のピッチャーが投げてくる第1球、もしくはファーストストライクというのは、最高のボールのはずです。その球に対して、スウィングしようとする自分がいる、しかもスウィングできる自分がいること、そういう自信をつかむためにあえて振りにいくんです」

1年目のオールスターではランディ・ジョンソン、2年目はカート・シリング（ともにダイヤモンドバックス）の投げたファーストストライクを、やはり打ちに行っていたイチロー。結果はすべて、ファーストへのゴロだった（1年目は内野安打）が、その内容はまったく違っているのだという。

「まず1年目のファーストゴロはあれでよかったと思っています。ただ、あれをもし今の僕が打っていたとしたら大問題でしょうね。なぜならあの時の僕と今の僕ではまったく違っているからです。去年の後半、もっとヒットを打てるかもしれないという感覚を見つけたという話は以前にもしましたが、そのきっかけになったのは、去年のオールスターでのファーストゴロだったんです。だから去年と今年のファーストゴロが持っている意味はまったく違います。去年は体の使い方に問題がありましたけど、今年はそういうものはまったく感じなかったですからね」

イチローにとっては、2カ月ぶりのシカゴ。5月のシカゴは、震え上がるような寒さが残っていた。ちょうどその頃、イチローの打率は現在より1割も低い、・250。5月3日の深夜、イチローは30試合で30本のヒットを「屈辱」だと言い、その原因を「ヒットを打てるポイントが劇的に増えたことによって生まれてしまった副作用」のせいだと話した。だが同時に「だいぶ取り戻せた」とも言い切った、この翌日から、イチローは怒濤のごとく打ち始めた。30試合で30本だったヒットを、その後の63試合で107本も打った。打率にすると最初の30試合が・250、その後の63試合は・398。打率が最も低かった時期に、原因は分かっているし、微調整も終わったのだから、もうすぐヒットが打てるようになる、とキッパリ言い切ったイチローそれをあっという間に現実にしてしまった彼の底知れぬ力には、改めて恐れ入ったものだ。

「感覚の狂いを感じたことはない。でも感覚のズレが生じることがあるんです。僕のバッティングのメカニックには、チェックするポイントがたくさんあるんですけど、意識を置くポイントはその時によって違います。そうすると、当たり前のようにできているポイントはどうしてもチェックが疎《おろそ》かになる。それを思い出さなくてはいけなかったんです」

今まで見えていないところが見えるようになって、体が打てると判断するポイントが増えたせいで、難しいボールを打ちに行ってしまっていた4月のイチロー。5月に入るまでに感覚のズレを修正すると同時に、難しい球には手を出さないよう、彼は脳から指令を出した。イチローはそれを「さらに強い気持ち」だと表現した。

「感覚のズレはメカニックの狂いを生じさせますから、その微調整ができれば、あとはさらに強い気持ちを持つことだけでした。ヒットになる可能性が低いという、とんでもない難しいボールに対する気持ちを抑えることができた時、ピッチャーの投げるボールが一本の線になって見えてきたんです」

5月4日、冷たい雨が降るシカゴでのホワイトソックス戦。今までなら手を出してはいけないバートロ・コローンの高めのストレート。一番力のある、難しいボールを打って出て、ファーストへのファウルフライに終わった第1打席。あの瞬間、すべては変わっていた。

「ボールを長い間捉えられる感覚を久しぶりに感じました。気持ちを抑えることができて、しかもメカニックの修正ができた。その両方が揃ったから、一本の線になって見えたんだと思います。コローンの速いはずのボールが凄くゆっくり見えましたから」

第2打席で打ったライトへのホームラン、第3打席で放ったレフト前へのヒット——イチローは、完全にらしさを取り戻した。

そして2カ月後、イチローは真夏のシカゴで存分にオールスターを楽しんだ。チームが勝ち、ア・リーグがワールドシリーズのホームアドバンテージを得たことによって、「シアトルでのワールドシリーズ第1戦」というでっかい目標も持つことができた。

「今年は、アレックス（ロドリゲス）とクラブハウスで話し込んだことが一番、楽しかったですね。何年かあとには一緒にプレーしようかって言ってましたよ。彼、シアトルに戻ってくるつもりなんですかね（笑）」

オールスターに出た選手には、毎年、粋なお土産が配られる。去年は『フィールド・オブ・ドリームス』や『ナチュラル』『がんばれ！ベアーズ』など、野球をモチーフにした映画のDVDが10枚入った、革製の黒いアルバムをもらったのだという。今年イチローは弓子さんとイッキュウが待つシアトルに、いったいどんなお土産を持ち帰ったのだろう。

「やっぱり恐ろしいところですよね、メジャーという場所は」

［緊急インタビュー］イチロー「理由なき〝スランプ〟」Sports Graphic Number 585/OCT 2003

イチローが終盤戦で失速しつつあった。イチローが打てなくなると、なぜなのかと問いたくなる。そんなとき、いつも答を持っていたイチローが初めて「わかんない」と口にした。自身のバッティングにおけるメカニックを完全に把握しているはずのイチローが、打てない原因を突き止められず、苦悩の真っ只中にいたのだ。3年連続200安打を目前にして、目に見えない〝内なる感覚〟に懸命に語りかけながら光を探すイチローの葛藤を描いた。

ぽっかりと、丸い月が浮かんでいた。

すっかり肌寒くなったシアトル。今季、最後の東海岸への遠征となったタンパ、ボルティモアでの連戦を終えた9月8日、久しぶりに心落ち着くこの街に戻ってきたイチローは、ポツリとこう言った。

「陽が沈むのが早くなったなぁ」

夏は9時過ぎまで明るかったシアトルにも秋が近づいていた。イチローは、ポテトチップスほどの大きさに擦《す》り剝《む》いて真っ赤になった左ヒザの傷を消毒しながら、こう続けた。

「それにしても不思議ですよ。ああいう時に限って牽制が来るんだから。あのピッチャー、今まで一度も僕に牽制球を投げたことがなかったんですよ。それなのに……もう行ったれ、という気持ちが出てしまうんですかね」

イチローの傷は、その2日前、9月6日のオリオールズ戦で負ってしまったものだった。3回表、左腕、エリック・デュボースからレフト前ヒットを放ったイチローは、牽制に誘い出されてしまう。

「まあ、こういう傷は、シーズン中の僕らにはつきものですから」

すべてがうまくまわっている時は、何かを狙う時でも己の気配を消せるものだ。しかし余裕がなかったり、焦りが芽生えている時は、「行ったれ」という欲が表に出てしまうのだろうか。

ヒザの傷をさすりながらイチローが思わず漏らした言葉からは、図らずもその時の余裕のなさが窺えてしまった。

それも当然なのかもしれない。

8月18日、マリナーズはトロントへ旅立った。その時点でイチローは、515打数175安打、・340。2位のビル・ミュラー（レッドソックス）に1分3厘もの差をつけて、ア・リーグのトップに君臨していた。それから18試合、イチローの打率は急降下を続けた。9月8日の時点で、595打数187安打。信じられないことだが、3週間で80打数12安打、その間の打率はなんと・150。何よりも自信を持っていたバッティングでこんな数字が残ってしまっては、余裕など持てるはずはなかった。

「もちろん、こんな経験は初めてです。何試合か、こういう状態に陥ったことはあったかもしれませんけど、2週間とか3週間とか、そんな長い単位ではありませんでしたから。いろんな経験をしてきたつもりでしたけど、まだこんな経験があろうとは……ホント、この時期に、冗談じゃないですよ」

ヒットの出なくなったイチローに対しては、すぐに答を求めたくなる。いったいなぜなのか、イチロー自身ならわかっているに違いないと、つい思ってしまう。イチローがそれだけ緻密に自らのバッティングを作り上げ、そのメカニックを熟知していると思うからだ。ところがイチローは今回に関しては「わかんない」と何度も繰り返した。

「僕にはわからないんですよ。メカニックの問題なのかもわからない……それは、これだけ打てないんだから、メカニックの問題なんだろうけど、僕にはわからない。どの理由も当てはまるかもしれないし、当てはまらないかもしれない。だから、ここから抜け出すための方法も見つからない。さすがに今回はちょっと気が狂いそうになりましたね」

8月19日からのトロント、ボストンでの7連戦。8月26日、シアトルに戻ってデビルレイズ、オリオールズとの6連戦。そして9月2日からのタンパ、ボルティモアでの6連戦。この19試合でマリナーズは7勝12敗。イチローの失速とともにマリナーズも失速――トロント遠征の前までアスレチックスに4ゲーム差をつけて西地区トップを走っていたというのに、3週間後には逆に3ゲーム差をつけられて2位に転落していた。

そしてイチローは、信じられないようなエアポケットに陥っていた。あのイチローが、まっすぐを空振りする。しかも、ボールの下をくぐるような空振りを喫する。止めたバットにボールが当たったり、しっかり振り切れなかったりもする。ことごとく裏目、裏目に出てしまっているような、そんな中途半端なバッティングが続いていたのである。

「(凡打の質については)考えますよ。でもその後、同じピッチャーに対しては修正をしてるんです。例えばボルティモアのジェイソン・ジョンソン、彼がシアトルで最初に投げてきた外のまっすぐを何球か空振りしているんですけど、その後の打席からはその球についてはは修正ができていました。むしろ、それは（中途半端なバッティングに見えてしまうのは）僕側の問題というより、僕側の問題だと思われていることによって、相手が有利になるという、野球の中での普遍的なことが理由だったのではないかと思います。戦う前にどちらかがプラスを背負って、どちらかがマイナスを背負う。そうなると、相手はなぜかいいコースにボールを投げられるし、こちらはすごく窮屈な感じにさせられる。だから、そういうバッティングに見えてしまうんだと思います。結局、戦う前にそういうプラス、マイナスをどちらが背負っているかということなんですよ。僕がマイナスを背負い始めたのは、ちょうどトロントに行ったあたりでした。捉えたと思った打球がことごとく正面に飛んだり、いいプレーでアウトにされる時というのは、ダメージは大きいですよ。あのあたりからイヤな感じはしていました」

トロントでの3連戦では、イチローは毎試合、1本のヒットは打っていた。しかしブルージェイズのセンターを守るバーノン・ウェルズにファインプレーをされたり、サードへのライナーがエリック・ヒンスキーの正面に飛んだり、ヒットと判定されてもおかしくないゴロをエラーにされたりと、ツキのなさも手伝って打率に下がり始めた。

ボストンでも不調のペドロ・マルティネスからヒットを打つことができなかった。シアトルに戻ってから事態はさらに深刻になり、デビルレイズとの3連戦で4の1、5の0、4の0。

続くオリオールズとの3連戦では4の1、3の0、5の0。6試合でヒットはわずか2本、25打数2安打、打率・080という信じられない数字が残ってしまったのである。

「技術的な理由はわからないんだから、やりようがない。何かを感じていれば変えることも構わないんですけど、感じていないから変えようがないんです。もし何か原因があるとすれば、それは目に見えるところではないはずです。僕ら、そういう次元ではやってませんから、ビデオをいくら見ようがそんなものは関係ありません。何か原因があるとしたら、表に見えている形ではなく体の中で感じている〝内側の感覚〟にあるはずなんです……うーん、それをどう説明したらいいかなあ。その、例えば僕のバッティングには、ステップした時に必ずグリップが残る、という特徴がありますけど、それが少し動いて見える、普段よりもちょっと前に出てしまう印象があるとしましょう。その時、その動きの狂いがわかっても、問題の解決にはならないんです。ほら、整体と一緒ですよ。首が痛い時、首だけ見てもダメで本当は腰が悪かったということ、よくあるじゃないですか。あれと同じで、表に見える狂いがあったり、どこかにズレを感じていたとしても、では、どこの意識を取り戻せばそれが直るのかということに気づかないといけないんです。それが〝内側の感覚〟なんですね。グリップが前に出てる、それならこれを残そうと思っても残るものじゃないし、そんなことには何の意味もないんです」

つまり、こうだ。まず、目で見てボールを打ちに行く判断を下す神経系（イチローが言うところの「感覚」）には何も狂いはなかった。ただ、打とうと判断して体を動かそうとした時、普段からたくさん持っているいくつかの体のチェックポイントの中に、狂いが生じている可能性がある。そこを正確な動きに戻すためには、狂った場所を意識するより、他のポイントを意識する方が修正されるケースがよくある。だからビデオで狂っている場所を見つけても意味はないし、自分の体に根気よく話しかけ、全体のバランスの中から修正すべきポイントを見つけ出さない限り、解決にはならない。それは、〝内側の感覚〟に頼るしかない、とイチローは言っているのだ。

「この時期に来ると、必ず肉体的な疲労のことを言われますけど、それも、『そうかもしれない』としか言えません。あと可能性としては、よく僕が、意識する体のポイントが時期によって変わると言いますけど、その意識を時期によって変えることで、意識しないところが疎かになってしまった可能性はあります。自然にできているはずのものが、意識をしなくなったことによって疎かになり、理想の動きができなくなっているかもしれない、ということです。ここにものすごく難しいところで、いくら他の人が見て、ここが違う、ここが崩れているということがわかったとしても、それをどうやって直すかは僕にしかわからないことなんです。だから、僕にとって、これからやるべきことで新しいことは何もない。これまでやっていることをできるかどうか。いつも、その日の自分にはこれがベストだと思うことをやってきた。その積み重ねなんです。それ以上はないから、逆に言えばこれ以上やることがない。とくに、この時期にこういう状態になってしまうのはつらいですよね。僕にはそういうスキはないと思ってましたから、よりによって、なぜこんな時に、という気持ちはありますけど、まぁ、ないと思ってるところに（スキが）あったのかもしれませんね（苦笑）」

考え得る準備をすべてこなしていると言い切り、類い稀な技術を持ち、しかも客観的に自分の状態を判断する高感度のセンサーを持っていながら、それでもヒットのでない状態に陥ってしまうことがある――バッティングとはつくづく奥が深いものだと、イチローはため息をついた。

「結局、何か理由のある、原因のある自分であっても、今までは周りの目をごまかせてきたわけですよ。とくに日本では、何年もね。でも、理由のない自分でも、こうなる可能性のある場所ってことですから、やっぱり恐ろしいところですよね、メジャーという場所は。そう考えると、もしここに（ヒットを打てない）理由のある自分がいたら、もっと大変なことになる可能性もあるわけでしょう。1日に1本のヒットを必ず打つってことは簡単なことではないといつも思ってましたけど、今回はそれを実感させられましたね」

そう言いながらイチローはインタビューの席を立って、突然、大きな声で叫んだ。

「イッキュウ、チィーズ」

愛犬、イッキュウに大好物のチーズを舐《な》めさせながら笑うイチローには、幾分か、明るさが戻っているような気がした。

「うん、今、ちょっと気持ちは違いますね。タンパまではすごいストレスだったし、気持ちも重かった。でもタンパでの2試合目（9月3日）で、ダグ・ウェチターのスライダーを打ってショートライナーになった打席があったんですけど、あの時、なぜか、長い間、ボールが見えた気がしたんです。ちょうど、（4月の不振を脱出するきっかけとなった）5月のバートロ・コローンのボールがそう見えたように、長く見ることができて、それで気持ちが楽になった。打った感じもちょっと詰まってましたけど、あ、何となく光が見えたかな、と……」

去年終盤の失速を経験に加えたマリナーズが今季、同じ轍《てつ》を踏むわけにはいかない。もちろんこれほどの〝スランプ〟を経験という引き出しにしまい込んだイチローも、最後に同じ轍を踏むはずがない――マリナーズは、そしてイチローは、10月の果実を堪能することができるのか。紆余曲折を経たメジャー3年目は、いよいよ最終決戦に突入する。

2003年成績　159試合　679打数　212安打　13本塁打　62打点　打率・312
34盗塁　ゴールドグラブ賞　オールスター選出

「自分だけは違う、という発想は危険なんです」

［30歳の肖像］イチロー「脱完璧主義で行こう！」Sports Graphic Number 599/APR 2004

イチローが30歳になった。20代のイチローは「30歳になったら……」という話をよくしていた。年齢に見合う自分でありたい。とはいえ、年齢なりのイメージは決して世の中の価値観とは重ならない。どんな自分が今の年齢に見合うのか。イチローならではの価値観で思い描いてきた30代の自分に現実を重ね合わせるために、イチローはあることをテーマに掲げた。それは「ゆるすこと」。意外な言葉を口にしたイチローの真意とは——。

アリゾナのフリーウェイを走るイチローの車のカー・オーディオから、彼のイメージから程遠い、懐かしい曲が流れてきた。

「このオフに日本で買ったんですよ。'70年代から'80年代にかけてヒットした女性シンガーだけのCD。すごく魅力的ですよ、7枚組で18曲ずつ入ってますからね。夜中にテレビでやってるのを見て、通販で買っちゃったんです。古いけど知ってる曲、けっこうあるんですよ。『木綿のハンカチーフ』とか、ピンク・レディー、キャンディーズでしょ、あとは林寛子。知らない曲は飛ばしてますけど……あれっ、この曲は誰ですか？」

流れていたのは、大橋純子の「たそがれマイ・ラブ」だった。

「誰ですか、大橋純子って（笑）。昔のアイドルですか」

「いや、アイドルというよりは実力派シンガーかな」

「今で言うなら、誰みたいな存在？」

「うーん、難しいなぁ。あえて言うなら、MISIAかなぁ」

「へえーっ、MISIA？　そうですか。それはすごいなぁ、大橋純子、やるなぁ」

こうして無邪気にはしゃぐイチローの姿はいつものことだが、通販で買い物をするイチローというのには、ちょっとビックリした。

「通販？　オッケーですよ。全然、オッケー。僕の中ではゆるせます。昔はそんなもので買い物するヤツは終わってると思っていたんですけど（笑）。このオフも2回利用しましたから。一度はCDでしょ。もう一度はシャンプーの後に毛穴を掃除するヤツ。こうやってウィーンってやると、手では取れない汚れが取れるヤツ。いいですよねぇ、通販は……」

イチローが30歳になった。

30歳の誕生日は、去年の10月22日。ちょうどその日は、フロリダ州マイアミでワールドシリーズ第4戦が行われていた。ヤンキースが敵地のマイアミでサヨナラ負けを喫し、2勝2敗のタイに持ち込まれたゲーム。メジャー1年目にして未知の大舞台に立つ松井秀喜の姿を、イチローはテレビを通して見ていたのだという。

実はその日、イチローはあるものを買おうと心に決めていた。30歳という年齢を、周囲が思う以上に節目だと考えていたイチローには、誕生日にどうしても買いたいものがあったのだ。

「いや、ブランデーを買おうかと（笑）。ちょうど買い物で外に出ていてね、そういえば今日は僕の誕生日だから、ブランデーを買おうということになって、酒屋に行ったんですよ、シアトルで……」

普段、ワインやビールを口にすることはあっても、イチローがブランデーを飲むなんて想像もできない。もちろん、ブランデーグラスを傾けるイチローの姿など、今まで一度もお目にかかったことはなかった。それが突然、誕生日にブランデーを買ったのだという。しかも、妻の弓子さんと二人でシアトルのリカーショップを何軒も探し回った挙げ句、イチローが手にしたのは、いわゆる典型的なブランデーだった。

「わりとみんなが買うヤツです。ヘネシーのXO。ほら、瓢箪《ひょうたん》みたいな形の……先輩たちがこれはいい酒だぞって言ってましたね。ブランデーは、僕が20歳になってすぐに連れていってもらったお店でみんなが飲んでたお酒だったんです。でも、それはとてもとても、僕が飲むものではないと思った。味というより、ああいうお酒を飲む場所というのは、僕が行かないクラブとかスナックとか、そういうお店でしょう。あの雰囲気が苦手で（笑）。当時は薄い水割りには口をつけましたけど、ブランデーを美味しいと感じたことは一度もなかった。だからその後は飲んだことがなかったんですよ。でもね、30になって飲んだらどう感じるのか、すごく楽しみでね。今回は家で食事をして、デザートも食べて、それから弓子と一緒にロックで飲んだんですけど、いやぁ、美味しかったですねぇ。すごく美味しかった。なんでかな。よくわかんないなぁ。何だろうね。お酒って、雰囲気とか気分によって味が変わるような気がするんですよ。やっぱり30の誕生日だったことが大きかったのかな」

イチローは、〝30歳〟という年齢をずいぶん前から意識していた。おそらくは、順風満帆すぎる20代を過ごした彼に、『30歳になったらそう簡単にはいかないぞ』と忠告した球界のセンパイ方がたくさんいたのだろう。それは彼らが、30歳を過ぎたら技術や感覚は研ぎ澄ますことができても、アスリートとしての体力や視力は衰えるものだと決めつけているからだ。イチローは「今のところ、体に変化を感じることはない」と言いながら、そういう忠告を素直に聞き入れ、すでにいろんな準備を始めている。かつて口にしていた通り、彼は本気で50歳までプレーするつもりらしい。

「いろんな人の話を聞くと、肉体的な節目がやってくるのが30歳か35歳だという人が多い。ですから、今の僕が変化を感じていなくても、予備知識としてそれを頭の中に入れておくことで、慎重な動きをしていくことができますよね。目にしてもそうですし、体の切れやスピードも今より向上することはないでしょうから、あとはどうやって維持するかです。自分だけは違う、という発想は危険なんです。慎重になることで、何かを防げることはあるでしょうし……ただ、この先に僕が考えなければいけないのは、そういう周りの頑なな目に流されてはいけないということ。この世界、30歳はこう、35歳ならこう、40歳はこうなるというものが出来上がってしまっているでしょう。でも、僕はそうではないと思っています。野球そのものが昔と今で違っているかどうかはわかりませんが、環境は明らかに違っているはずです。グラウンドはほとんどが天然芝で、ウエイト・トレーニングの設備も整っていて、特に僕の場合は、最高の道具を与えてもらっている。僕が今、履いているスパイクと、10年前に履いていたスパイクとは縄文時代と昭和くらいの違いがあると思いますから（笑）。そういうふうにいろんなものが進歩している中で、野球選手の寿命だけが昔と同じだったら、これは退化しているのと同じでしょう。昔の選手よりも長くやってイーブン。信じられないほど長くやって、ようやく進歩したことになると思います」

イチローがトップを守り続けたこの10年間というのは、彼の20代にちょうど重なっている。20歳でオリックスのレギュラーに定着、いきなり210安打を放ってから、7年。27歳でマリナーズに来てから、3年。その間、ニッポンでは7年連続首位打者を獲得、メジャーでも3年連続200安打を記録した。一切の妥協を許さず、ギリギリまで自分を追い込んできた、スキのない10年間。

イチローが「3年やって一人前」だと言い続けてきたメジャー3年目は、今までに経験したことのない苦しいシーズンとなった。3年やった、その象徴として彼が唯一目標にしてきた200本のヒット。続けることの難しさを誰よりも知っているイチローだからこそ、3年連続の200安打達成を前に「吐き気や息苦しさ」を感じるほどのプレッシャーを受けた。20代最後のシーズンに、経験したことのない精神状態がまだ残されていたことにイチローは驚かされたのだ。

20代のイチローが背負わされてきた重たい荷物――日本最高のフィールドプレイヤーとしてメジャーでそれなりの実績を残さなければならないという、自らに課した宿題と周囲からの期待――を下ろすことができた瞬間、今まで見えなかったものが見えてきた。もちろん、その場所を目指してきたわけではない。どこまで続くかわからない暗闇の中を進んできたら、その先に、奇しくも新しい世界が広がっていた。

30歳のイチロー。

彼はこのオフ、マリナーズと4年契約を交わした。それも、総額にして約50億円。マリナーズでプレーしたいと願っていたイチローにとって、チームからそれだけの大型契約をオファーされたことは大きな喜びだった。同時に彼は、4年の間、腰を据えて野球ができる居場所を得た喜びにも浸った。

すると、目に映る景色が少し変わった。余裕がもたらした、新たな価値観。

イチローは去年の暮れ、「今の自分のテーマはゆるすことだ」と、突然言い出した。

「今までの僕は、何に対しても完璧を求めていましたから。でも、相手のいいところを探そうとか、見方や視点をちょっと変えると、それもありかな、と思えることがある。もちろん、それは自分に対する甘えにつながる可能性もありますけど、僕の『甘い』は他の人よりよっぽど厳しいと思いますから。それくらいはオッケーでしょう。脱、完璧主義ですね」

自分にも他人にも厳しい、刺々《とげとげ》しいイチローも魅力的ではあるが、それもありかなと言ってしまう、丸くなったイチローも悪くない。例えば、今年のスプリング・トレーニングでは、彼は毎晩のようにお酒を口にしていた。ところが去年のこの時期、イチローは一滴のお酒も飲もうとしなかった。それだけピリピリした雰囲気を周囲にも感じさせていた。どちらがいいというのではなく、極限まで自分を追い詰めてきた彼の20代を見てきたからこそ、そういう30代もいいのかもしれないと思える。ギリギリの緊張感に縛られた20代のイチローを解き放ってみたら、今までとはまったく違う30代のイチローに出逢えるかもしれないのだ。

「僕、自分のために野球をやりたくなってきたんです。だからここから先、僕のファンだと言ってくれる人はもっと大変になると思いますよ（笑）。特に今年のオフはいくつかの番組で言いたいことを言わせてもらいましたし、ああいう僕を見てそれでもファンだと言ってくれる人は、ちゃんと考えて選択して、残ってくれている人だと思うんです。だからこそ、そういうファンの人には自分の感性を大事にして、純粋に感じて欲しい。10年前の野球と今の野球は違いますし、これからも誰かの頑なものの見方に流されないで欲しいんです。そういうファンが増えて僕にプレッシャーをかけてくれれば、お互いに成長できる関係でいられると思いますからね」

実はこの春、弓子さんが家で作るカレーの銘柄が変わった。市販されているルーを使って作るのだが、その銘柄が変わったのだ。些細なことだと笑われるかもしれないが、驚異的な味覚と嗅覚の持ち主であるイチローは、カレーの銘柄が何でもいいというタイプではない。変えたからには何かあるはずだ。

「このオフ、名古屋の実家で食べたカレーがメチャクチャ懐かしくて、これ、あのカレーだよね、とオフクロに聞いたんです。そうしたら、僕が思っていたルーと違った。今までも子どもの頃から食べていたカレーを弓子に作ってもらっているつもりだったんですけど、勘違いしてたんです（笑）。だから、今年からはそっちのルーで作ってもらうことにしました。そりゃ、メチャクチャうまいですよ」

一切のムダを削ぎ落とした20代、彼が得たものは大きかっただろう。しかし、同時に失ったものもあった。そういうものを30代に取り戻したいという思いが、無意識のうちにイチローの中に芽生えているような気がしてならない。ゆるすこと、それもありかなと思うこと、そして、カレーの味――。

「ああ、考えてみると、確かにそういうところ、ありますね。野球にしてもそうなんですよ。最後に目標としているのは、あの子どもの時の感覚なんですよね、たぶん……」

ただ野球が楽しかった、あの子どもの頃の感覚に辿り着くまで、イチローの野球へのモチベーションは下がることはないのだ。

去年の8月から9月にかけて、イチローは打率を下げた。その原因は3年連続200本安打へのプレッシャーだったのだが、ではそのせいでバッティングのメカニックはどう崩れていたのか。その点に関して、イチローは原因を把握して、対策をこのスプリング・トレーニングの課題の一つにしていた。

「去年の9月、タンパでの最後の試合（9月3日）で、ダグ・ウェチターのスライダーを打って、詰まったショートライナーになった打席があったんですけど、あの打席で少し光が見えた。あの頃の僕は、お尻が完全にピッチャーの方を向いていなかったことに気づいたんです。僕の特長が、完全に殺されていました。僕のフォームを見てもらえばわかりますけど、右足の使い方が特長の一つになっています。あの（内側に捻《ひね》り込んだせいで靴底がピッチャーに見えてしまうような）右足の使い方のおかげで、最後までトップの位置をキープしたまま、来たボールの内側を叩くような、いわゆるインサイドアウトのスウィングでバットを出すことができる。それが去年のあの時期、お尻がピッチャーの方をちゃんと向いていなかったために、上半身に余計な力が入ってしまっていたんです。その原因が下半身の疲れなのかどうかはわかりませんが、とにかくそういう現象が起きたことでスウィングに下半身の力が十分に伝わらなくなって、上半身にムダな動きが出てしまったということです。そういうイヤなバッティングが去年のあの時期に何度もありましたから、インサイドアウトの動きをもう一度、しっかり作りたいと思っています。あともう一つあるんですけど……それは探して下さいよ。全部明かしたらおもしろくないからな～（笑）」

去年、前半戦を終えて打率トップに立っていたイチローは、後半の失速を「あれだけ後半に苦しんでも7番目にいるということは、十分に（首位打者の）可能性はあったわけですから、当然、悔しい」と話していた。それだけに、同じ轍は踏めないという思いは強いはずだ。同時に、2年続けて後半の失速からプレイオフ進出を逃したマリナーズは、ド派手な補強をしたチームが目立つア・リーグにあって、いかにも地味な補強だった印象が拭えない。ところがイチローは、チームに対しても意外なほどの自信を覗かせた。

「だってピッチャーは相変わらず先発には5人が揃ってますし、佐々木さんは抜けてしまいましたけど、ミネソタからガッダードが入って、ブルペンはカットするのが難しいほどたくさんいますからね。攻撃に関しても今年は安全パイがいない。一人でもそういうバッターがいると相手は楽なんですよ。もちろんボストンとヤンキースは強いと思いますし、アナハイムも強いとは思いますけど……」

イチローは少し視線を落としてしばらく黙ったあと、ポツリと、こう言った。

「シアトル、強いですよ。たぶん……」

ゾクッとするほど、マジな言葉だった。

「進化という言葉を使うなら今かもしれませんね」

［ロングインタビュー］イチロー「262安打のためにどうしても必要だったもの」
Sports Graphic Number 613/OCT 2004

ジョージ・シスラーのシーズン最多安打の記録は257本。2004年、その記録をイチローが84年ぶりに越えた。6月までは105本で打率は・315。それが7月以降は157安打で打率はなんと・423。この違いをもたらしたターニングポイントは7月1日にあった。試合前の練習中に突然、ある閃きがイチローに降ってきたのだ。それからイチローのフォームは明らかに変わった。イチローはどんな感覚を手に入れたというのだろう。

日本中が、イチローに視線を注いだ日。

10月1日、シアトル。

イチローは、言い知れぬ不安に包まれていた。残り3試合でヒット1本――これまで3試合連続ノーヒットは一度もなく、158試合で256本ものヒットを放ってきたイチローをもってすれば、届かないはずのない、簡単すぎる数字に思えた。

しかし、たった3打席の凡退がイチローにとってはトラウマになっていたのだ。

9月30日、オークランドでのアスレチックス戦。イチローは、左腕のレドマンからライト前に今シーズンの256本目となるヒットを放ち、ジョージ・シスラーの持つシーズン最多安打の大記録まで、ついにあと1本というところまで迫った。

リーチをかけたイチローはその日、タイ記録のかかった打席に3度立った。1度目は、外の緩いカーブに空振り三振、2度目はいい当たりのレフトライナー、3度目はアウトハイのまっすぐに空振り三振。実はこの3打席の凡退を、イチローは引きずってしまっていたのである。

あと1本が打てないかもしれない――そんなイチローの心の内を知る由もないファンやメディアは、地元に戻れば必ず打つ、記録はシアトルまでとっておいたんだと、軽く口にしていた。

1回裏、第1打席。イチローが振り返る。

「あの日、1打席目の打席に入る前、すごく緊張している状態で、自分で普通じゃないというのがわかったんです。オークランドであと1本になってからの3つの打席でヒットが出なかった、そのことがプレッシャーを与えるであろうことは明らかでした。ですから、シアトルでの1打席目がすべてを決めると思っていたんです。そこでもし1本が出なければ、どんどん苦しくなる。ひょっとしたら、3試合で1本出るかどうかもわからない……そこまで思っていましたから、その1打席目というのは、普通ではいられませんでした」

打席に入る前、いつものイチローならば相手の守備位置や風の向き、観客の姿など、いろんな情報をインプットしている。しかしこの日のイチローの目には、相手のピッチャーの姿以外、何も映らなかったのだという。

初球——。

86マイルの、さして厳しくもないまっすぐ系のボールを、イチローは見逃した。

「実は、1打席目の初球はどうしても打ちたかったんですけど、タイミングがちょっとズレてしまったので、打ちにいけなかったんです。ズレたというのは、打ちにいくタイミングがズレたのではなくて、その前の段階でズレてしまった。僕は打席でまず、バットを目の前にこうやって掲げますよね。そこからタイミングを合わせにいくんですけど、あの時はピッチャーの投球に入るタイミングがいつもより少し早くて、バットを掲げにいく途中でズレてしまった。ですから1球、どうしても待たざるを得なかったんです。あれも僕にとってはプレッシャーを与えましたね。しかもストライクが来ちゃいましたから……」

　バットを掲げにいく途中で、すでにこのボールに対しては振りにいけないと判断できてしまっていることも驚異なら、たった1球の見逃しにそこまでの心理的背景があったことには、もっと驚いた。そのプレッシャーを跳ね除けようと、イチローは2球目、3球目を振っていく。いずれもファウル。そして、4球目。

「ファウルの間もずっとイヤな感じが続いていて、追い込まれた状態でした。4球目は外からのカットボールだったかな。打った瞬間は、サードの頭を越えろとは思いましたけど、まぁ、あんな打球は狙って打つことはできませんからね。やっぱり258本目よりも257本目の方が重かった。最初の方が、背負っていたものが重かったですから……」

　第1打席で257本目。

　そして、第2打席で258本目。

　イチローは、あっという間に歴史を塗り替えた。その瞬間、セーフコ・フィールドのボルテージはマックスまで跳ね上がり、花火が打ち上げられた。一塁ベースに立ったイチローのところへ、ダグアウトにいたマリナーズのナインが集まり、ポンポンと頭を叩く。上背のないイチローはすぐに見えなくなってしまった。仲間が作ってくれた祝福の山からようやく抜け出したイチローは、スタンドで観戦していたシスラーの親族のもとに駆け寄る。ひんやりとした空気と花火の煙がフィールドを包み、幻想的な光景を演出していた。

「翌日のセレモニーで、クーパーズタウンのホール・オブ・フェイムの方から、シスラーのバットのレプリカを頂いたんですけど、あれはバットじゃない、木です。あんな重い、中身のつまったバットなんて、今じゃあり得ないでしょう。シスラーは大きくない選手だと聞いてましたけど、あんなバットを振れるというのは、どんなに短く持ったとしても考えられない。どうやってスウィングしていたのか、想像もつきませんね」

長くて、重いシスラーのバット。こんなバットで257本ものヒットを打てたということは、今の時代の野球とは違うであろうことは明らかだ。速い球を投げるピッチャーはいたかもしれないが、落ちる球や、奥行きを使った緩急などの攻め方はなかった、直球とカーブだけの時代。

錆びついた扉をイチローがこじ開けたら、84年前のベースボールが見えた。それが、かのベーブ・ルースがレッドソックスからヤンキースに移籍、ホームランの数を前年の29本から54本に伸ばした、1920年。それは決して偶然ではなく、〝ブラックソックス・スキャンダル〟と呼ばれる八百長事件に揺れたメジャーが、ホームランを量産するルースの人気に乗じて、〝ライブボール〟(飛ぶボール)〟を採用したからこその記録だった。イチローがメジャー1年目のオフにクーパーズタウンを訪れた際、手に取ったタイ・カッブのグラブがあまりにも分厚く大雑把な造りであったことに驚き、「とても今と同じ野球だとは思えない」と呟いていたのを思い出す。

イチローは言っていた。

メジャー1年目に打った242本というヒットの数は、お互いのことを知らない1年目だから出せた数字であって、逆に言えば1年目こそが最大のチャンスだった、と。ところが、近代野球では最多のこの記録を塗り替えたのは、なんと4年目のイチローだった。いったい、イチローに何が起きていたのか。

6月まで。333—105、打率・315。

7月以降。371—157、打率・423。

これほど数字が違っているのだ、そこには理由があって然るべきだろう。

実は、アテネのオリンピックに取材に行っていたおよそ1カ月の間、メジャーリーグの試合をまったく観ることができなかった。ヨーロッパではメジャーの映像はほとんど流れないし、インターネットの環境も劣悪だったため、イチローのバッティングからはすっかりご無沙汰してしまっていた。

帰国して、テレビでイチローを久しぶりに見て、驚いた。

フォームが明らかに変わっている。

スタンスが狭く、右足を少し引いている。バットが寝て、スウィングの軌道も、ボールに対して最短距離で振り下ろす感じから、体に巻きつくような横殴りに変わっていた。

オリックス時代、1本のセカンドゴロを放って得た〝ストライクの7割はヒットにできる感覚〟は、今でもイチローのバッティングの土台になっている。メジャー1年目のスプリング・トレーニングで行った「イチ、ニィのぉ、サン」の「のぉ」を削除する作業、メジャー2年目の終わり頃につかんだ上体の力を抜くためにヒザを柔らかく使うバッティングなど、メジャーでのイチローが試みてきたマイナーチェンジは、あくまでも「微調整」「修正」の範疇を超えないものだった。

では、イチローのこのフォームの変化は、どう捉えたらいいのだろう。

イチローは、こう言った。

「まだまだ自分の可能性は感じていますし、この数字を超えられるだけの自分を作り上げる余地は感じています。だって、まだミスをしていますから。それを減らせば、もっとヒットが打てるということでしょう。要するに自分の中での可能性という話なんです。感覚の中ではヒットにできるポイントが劇的に増えているのに、それをどうしても表現できない。ミスをしてしまう。これだけ考えてもそういう種類のミスを減らせない、ヒットにできるはずのボールがヒットにならないということは、これはもう思考の問題ではなくて、どこかの形に問題がある。

そのせいでどこかがズレてしまう、そう考えたんです」

最初はスタンスだった。

7月1日、シアトルでのレンジャーズ戦。試合前のバッティング練習でバットを握ったとき、イチローの体が、突然、ある試みを要求してきた。

「球場に着いて、バットを握って、ケージの近くにいった時、ふと、右足を少し引いた状態で構えてみようと思いました。そうしたら懐が広がって、ピッチャーとバッター、ボールの三角形を今までよりも立体的に見ることができた。新鮮な感覚でしたね。そこで、右足を引いた状態のまま、今までのように背筋を伸ばそうとすると、スタンスが狭くなる。最初はそこだったんです。僕はボールを線で捉えるバッターなので、その線にいかに早く入れるかどうかということが大事になってきます。頭ではその線に入ってるはずなのに、体とバットがその線にキッチリと入ってこられない。それがミスの原因になっていた。それが、その三角形を立体的に見ることで、線に早く入ることができる感覚を得たんです」

体とバットを線に入れる——これこそイチロー独特の感覚だ。ボールを線で捉えるためには、バットを含めた体全体の動きを正確にその線に乗せてやることが必要になる。体を頭の中で描いた線に乗せさえすれば、あとはそのままボールにぶつかっていけばいい。それを実践したら、意外な動きが伴ってきた。

「バットのヘッドが、なかなか出てこなくなった。つまり、それだけボールを長く見ることができていたんでしょう。線に入ってからもギリギリまでボールを見て、最後の最後にヘッドが出てくる。これだと、動きにミスが出にくくなります。僕が何か新しいものを見つけたときって、必ず、過去の自分は『これナシでなぜ打てていたんだろう』って思うことばかりでした。でも、今回のは違うんですよ。打てなかったものが打てるようになるためのものではなく、打てるはずのものを確実に打てるようにするためのもの。ミスをしないためのアプローチなんです。今回のことで僕は明らかに前に進んでいますし、違う次元に行くことができました。進化という言葉が今までいろんなところで使われてきましたけど、それを使うなら今かもしれませんね。２６２本という数字は、この感覚がなければ、絶対に無理な記録でしたから……」

スタンスを変えたことでボールを立体的に捉えられるようになった。その結果、ボールを捉えるための線に体とバットを早く入れることができるようになった。そうしたら、動きの誤差が小さくなることでミスを減らせるかもしれないという感覚を得ることができた。スタンスを狭めて、なおかつ背筋を伸ばすと、バットは自然と寝る。その動きに伴ってバットのヘッドがさらに遅れて出てくるようになり、ボールをギリギリまで見ることでミスが減り、ヒットにできる数が劇的に増えた——つまりは、そういうことだ。

「最初にその感覚を得た7月から、僕の中では何も変わっていない。でもその頃とシーズンの最後の頃の形は全然違うんです。ビデオで見ましたけど、明らかに違う。でも、僕の中ではまったく変わらない。とにかく構えた時、気持ちいいんです。おもしろいのは、今の自分のフォームを見たら、子どもの時に戻ってるんですよ。小学生の時のフォームに戻ってる。感覚もそれに近いんです。どの球もヒットにできる。子どもの頃はストレートしか投げてこなかったし、そういう感覚も当然だったかもしれませんけど、プロに入ってからはどの球もヒットにできるなんて感覚にはなかなかなれませんよね。なぜそうなったかというのは、想像でしかないんですけど、子どもの時って、純粋に自分の体を使ってるんです。余計なものは何もない。自分が一番気持ちいい形でバットを振っている。それが大人になるにつれて、純粋じゃなくなってくる。それによっていろんな思考も生まれてきてしまうんでしょう。力がある人はバットを立てなくてはいけないとか、立てても大丈夫だとか、そういう発想になるんですよ。でも、バットを立てる、そういう固定観念を排除しないといけないんじゃないか、と……」

バッターにとって、バットを立てるというのは、力の誇示やプライドを意味するものらしい。イチローも高校からプロへ進むあたりで、いつしかそう思うようになっていた。だから、体は小さかったのに、バットを立てた。なぜ、そのこだわりを捨てられたのだろう。イチローは「よくわからない」という。ただ、7月に得た感覚には、確信めいたものがあったはずだ。7月の末に

3割3分3厘を越えた頃、イチローは、「まぁ、333というのは一つの目安にはなってますけど……でも、かなり控えめですよ。もっとミスを少なくできるはずですから」と言っていた。

彼の言葉は、いつも現実のものになる。それは予言などという曖昧なものではない。現状を正確に認識し、突然、天から降ってきた発想を取捨選択できるよう、常にアンテナを広げている。そして、それをすぐに実践できてしまう能力がある――イチローは「それが僕の才能ですよ」と言って、笑っていた。

上り詰めれば、孤独が待っている。

30歳にしてこれだけのことを成し遂げてしまった今、イチローはいったい、どこを目指していけばいいのだろう。

「すぐそうやって言われますけど、何かを追いかけていた時も、きっと凄いんだろうなと思ったものが本当に凄かったことって、あまりないんですよ。中学の時、ナゴヤ球場で当時、快速球のイメージが強かった鈴木孝政さんの球を見たとき、これは打てると思ったし(笑)、高校に進んだ時も周りとあれだけ体格が違うのに竹バットで一番遠くへ飛ばしたし、プロに入ったら今度こそ球が速いヤツがいっぱいいるのかと思ったら、一人も速いと感じるピッチャーはいなかった。だから、人と比較をするという価値観は僕の中からはもう消えています。僕は僕の能力を知っていますから、いくらでも先はあるんですよ。人の数字を目標にしている時というのは、自分の限界より遥か手前を目指している可能性がありますけど、自分の数字を目指すというのは、常に限界への挑戦ですから。メジャーで感じる孤独感なんて、最高じゃないですか（笑）。一つだけ言えるとしたら、メシのタネに野球をやっている選手では、絶対にここまでは来られないと思います。野球が生活の手段になってしまったら、もっと前に進みたいという気持ちは消えてしまいますからね。こちらでも、野球が生活の手段になってしまっている選手はムチャクチャ多い。そうじゃないと感じさせてくれるのは、ティム・ハドソン、マイク・スウィニー、マイケル・ヤング、バーニー・ウィリアムス。日本なら松坂大輔、上原浩治、あとは坪井智哉……順不同で（笑）」

充足感と、孤独感。

背中合わせの感情とともに歴史的なシーズンを戦い終えたイチローは、松坂と上原に、あるものを届けた。それは、イチローが２５８本目のヒットを放った10月1日のゲームで使われたボールだった。

2004年成績　161試合　704打数（リーグ1位）262安打（歴代1位）8本塁打　60打点　打率・372（リーグ1位）36盗塁　首位打者、ゴールドグラブ賞　オールスター選出

「イチローという選手に対する見方は、僕が一番厳しかったということ」

[スペシャルノンフィクション]「256と257のあいだ」Sports Graphic Number 619/JAN 2005

シスラーの記録は257本。84年間、誰一人として迫ることさえできなかった記録に、イチローはついにあと1本というところまでたどり着いた。残り試合数を眺めて楽観的な見方ができるのは傍観者だけ。256本目のヒットを打ってから257本目のヒットを打って、記録に並ぶまでにかかった時間はたったの一日なのに、イチローの周りだけはゆっくりと時間が流れていたのだという。その長い長いイチローの一日を、丹念に描いてみた。

あと、1本――。

勢いのある打球が、一、二塁間を抜けていった。9月30日、オークランドでのアスレチックス戦。イチローは3回表、2004年のシーズン、256本目のヒットを打った。一塁ベースに達したイチローは、余韻に浸る間もなく、次の打席のことを考えていた。

今日、もう1本打って、記録に並んでおきたい。そして、シアトルで新記録を達成したい――84年ぶりの記録まであと1本に迫った瞬間から、実はイチローは葛藤し続けていた。たった一本のヒットを打つための、長く、つらい一日が始まったのである。

その前日、9月29日。

いつもと同じチーズ・ピッツアをオーダーすると、イチローはコーラのストローに口をつけた。サンフランシスコに来ると、決まってランチに訪れるイタリアンの店は、急ぎで昼食をとるダウンタウンのビジネスマンで混み合っていた。オークランドとの4連戦は、この日が3試合目になる。

前夜、ティム・ハドソンから2本のヒットを放ち、しかもイチローの打球を背中に当ててなお平然とマウンドで投げ続けたハドソンの振る舞いにいたく感動していたイチローは、この日、いつになく上機嫌だった。2試合で3本のヒットを打てば、設計図通り、オークランドで記録に並ぶことができる。イチローにとっては、決して難しい数字ではない。しかし、彼が常々「10試合で10本というのは難しくなくても、1試合で1本というのは難しい」と言っていたように、あとのない状況の中できっちり結果を出すことの難しさをイチローは知り尽くしていた。だからこそ、記録へのカウントダウンが騒々しくなってきた頃から、イチローの口数は減っていた。ところがこの日、球場へ向かう車の中で、イチローが意外な話を始めたのだ。サンフランシスコからベイブリッジを渡り、白茶けた倉庫が建ち並ぶ、殺伐《さつばつ》としたオークランドの街並が見えてきたあたりのことだった。

「だいたい、シスラーって言われても、会ったこともないし、プレーを見たこともないし、まったくイメージが出来ないんですよね」

イチローの口からジョージ・シスラーの名前を直《じか》に聞いたのは、記録を意識して取材をし始めてからは初めてのことだった。アテネ・オリンピック取材のため、7月末から9月にかけて、52試合もマリナーズのゲームを取材することができなかったスポーツライターは、その間に96本ものヒットを放って、記録更新が俄然、現実味を帯びている今、いったいイチローを取り巻く空気がどうなのか、そこに興味を持って57日ぶりに太平洋を渡った。

9月末、久しぶりに会ったイチローは、案の定、ピリピリしたムードを醸し出していた。実は今回、もしイチローが記録を達成したら、試合直後のベンチで、テレビ用のヒーローインタビューのインタビュアーを務めることになっていた。イチローへのインタビューはこれまでに何度も経験してきたが、生中継でのインタビューは経験がなかったので、そのことを彼に伝えておきたかったのだが、そのためには「もし記録を達成したら……」という仮定の話をしなければならない。それを口にすることさえ憚《はばか》られる——それが、その当時、彼から感じ取った雰囲気だった。

ところが、9月29日の球場に向かう車の中で、イチローの方から突然、シスラーの名前が飛び出したものだから、内心、ビックリした。それでも、イチローはお構いなしに話を続けた。シスラーを越えたいなんて思ったことはなかった、一度でいいからプレーを見てみたかった、さらには「自分にとってのヒーローは野中さんと藤王さんだったから」と言って、大声で笑ってみせた。

〝野中、藤王〟というのは、30歳以上で愛知県出身の野球好きなら知らないはずはない、高校野球のスーパースターだ。中京高校のエース、野中徹博と、享栄高校のスラッガー、藤王康晴。野中は、名門・中京の2年生エースとして春夏連続で甲子園出場を果たし、のちに阪急にドラフト1位で指名された。一方の藤王は3年春の甲子園で11打席連続出塁を成し遂げ、中日にドラフト1位で指名されている。そんな2人が3年の夏、愛知県大会の決勝戦で激突した。全国大会の決勝レベルだと地元で大騒動となった試合は、観客が球場の外まであふれる大一番となった。当時、９歳だった一朗少年も、この日のことはよく覚えていた。そんな昔話に楽しそうに興じていたイチローは、いつものようにリュックを肩に掛け、颯爽とオークランドのスタジアムの中へと消えていった。

あの頃、イチローにのし掛かっていたプレッシャーとは、いったい何だったのか。

「去年の（３年連続２００安打への）プレッシャーとは比べものになりませんでした。だって、この記録は84年間、誰もできなかったんですから、それは重いですよ。二度と作れないかもしれないわけで、そういう目標が目の前に現れた時に、どうしても欲しくなってしまう気持ちを抑えることは、僕には無理でしたね。ドキドキするんですよ。もちろん苦しかったけど、そういう苦しみがなければドキドキできないでしょ。楽しむというより、おもしろいと言った方が近いかな。自分が人生をかけてやってきた、一番時間を費やしてきた、一番自信を持って勝負してきたことで、精神的に一段上に上がれるチャンスがきたわけですから、それはつらいこともありますけど、だからこそおもしろいし、ドキドキできるんです」

イチローは、９月27日からのオークランドでのアスレチックスとの４連戦でシスラーの２５７安打に並び、10月１日からシアトルで行われる最後の３連戦でなんとか新記録を達成したいと、そう考えていた。そう思えたのは、９月27日、４連戦の初戦で、バリー・ジトーから２５２本目のヒットを打った瞬間だった。イチローは、このヒットで初めて新記録までの設計図を具体的にイメージできたのだと、後日、振り返った。

「オークランドでの1試合目、あのゲームでもしヒットが出なければ、またちょっと嫌になったり、遠くに感じたりしてしまって、かなり気持ちが違っていたでしょうね。3打席ノーヒットで、4打席目に1本出ましたから、あれは大きかった。あれで、オークランドで並びたいと思えるようになったんです」

　このヒットで、イチローの心理状態に変化が生まれた。オークランドでの3試合で5本、シアトルでの3試合で1本。これで、258本――これが9月27日になって初めてイチロー自身がようやく描くことができた、新記録までの道のりだった。

　だから、イチローはあの日、シスラーの名前をサラッと口にできた。野中、藤王の話をして、大声で笑うことができたのである。

「1回の打席で追いつくと思うのと、まだ2回必要だって思うことは全然、違いますからね。1回の打席でヒット2本は絶対に打てないのに、近づいてくるとそういう感じになってきちゃうんですよ。1本ずつ打たなきゃいけないのに、先に意識が行ってしまう。だから、ちょっと遠い時の方が早く欲しいという気持ちは強かったかもしれません」

　ちょっと遠い時――新記録まであと30本を切ったあたりからのイチローもまた、精神的に追いつめられ、苦しんでいた。

9月13日、シアトルでのエンゼルス戦でイチローはノーヒットに終わった。これで、記録を抜くためには残り19試合で27本のヒットが必要となった。

その夜、いつものように食卓に手料理を並べて夫の帰りを待っていた妻の弓子さんは、イチローの様子がいつもと違うことにすぐに気づいた。クラブハウスを出る時にはオンとオフのスイッチを切り替え、家には野球を持ち込まないはずのイチローが、明らかにそのショックを引きずっている。

食事中、弓子さんはわざと明るく振る舞ってみせた。一瞬は、明るく返事をするイチロー。しかし、その反応は5秒と持たなかった。そんな姿を見かねた弓子さんは、イチローを励まそうとして、こう言った。

「打てなかったら、それはそれでしょうがないじゃない」

2003年、激しいプレッシャーの中でようやく成し遂げた3年連続の200本安打と違って、4年連続の200本は8月末にはとっくに達成していた。257本なんて桁外れな記録、最初から狙っていたわけでもないし、達成できれば儲けものくらいに考えた方がいい――弓子さんがそう考えてもちっとも不思議ではない。しかし、イチローは弓子さんのその言葉に、強い調子で反発した。

「そんなことは打てなかった時に、あとから考えればいいことであって、今、そんな気持ちになってしまったら、絶対に打てない」

あとになって弓子さんは「あれは迂闊《うかつ》でした」と苦笑い。イチローはこう言っていた。

「もちろん、弓子が一緒に戦ってくれていることは十分にわかっています。でも選手として、同情されるのは最大の屈辱なんですよ。もし僕が記録を抜けなければ、なんだよ、出来なかったのかよ、と非難されたと思いますけど、でも同時に、仕方ない、よくやったという声も出てきたと思うんですよね。それは僕にとっては一番、悔しい。非難された方が、よっぽどマシだと思いますから」

イチローが、弱さを晒すことは皆無に等しい。彼はグラウンドを離れれば、いつも前向きで、明るく振る舞える。そういうシーズン中の精神的なコントロールは、驚くほどに徹底していた。そんなイチローが、弓子さんの前で初めてみせた心の〝弱さ〟。それが、結果的にはイチローの意地を引き出すことになったのだから、何が幸いするかわからない。

「これまで周りからいろんな期待をされてきて、そのたびにその期待に応えようとした自分がいましたよね。もちろん、できたり、できなかったりしたんですけど、そういう中でイチローという選手に対する見方は、僕が一番厳しかったということ。それが、自分に対する自信を生んできたんだと思います」

あと1本――。

今シーズン、イチローが自らに課したもっとも厳しい目標。それが9月30日のアスレチックス戦で256本目のヒットを打ってから、残りの打席で打っておきたかったタイ記録となる、たった1本のヒットだった。

5回表、第3打席。

マウンドには、左腕のマーク・レドマンがいた。1点を追うマリナーズは、1死三塁のチャンスを迎えていた。プレイオフ進出を懸けて厳しい戦いが続いていたアスレチックスは、どうしても負けられない。内野は極端な前進守備を敷き、バックホーム態勢。イチローのヒットゾーンはそれだけ広がっている。

初球、86マイルのストレートが外へ、2球目には84マイルのストレートがこれまた外角に決まって、イチローは早々と追い込まれてしまった。

「初球、2球目ともにチャンスはありました。でもこのピッチャーというのは、アウトサイドがすごく遠く見えるんです。だから、慎重にいこうと思ってるところもあったと思います。これが普通の精神状態だったら打ちにいってるかもしれませんね。やっぱりボールを見極めたい、難しい球には手を出したくないという気持ちが働いてたんだと思います」

このレドマンが投じた1球目と2球目は、だいたい同じコースに来ている。しかしイチローには2球目の方が、1球目よりも遥かに遠く感じられた。それは、1球目よりも2球目の方が、さらに打ちにいきたい思いが強かったからだという。

追い込まれてからの3球目は、ファウル。

今度は高めに87マイルのストレートが浮いた。見送ればボールの可能性も高かったが、ストライクとコールされたら三振になってしまうので、ファウルにするのが正解のボール。変化球も意識しているので、ボール気味のストレートはファウルで逃げられれば問題はない。4球目のまっすぐは低く外れて、これでワンボール、ツーストライク。

5球目。初めての変化球。77マイルのチェンジアップになんとかバットをあわせて、今度は一塁線にファウル。

6球目が高く浮いて、2―2になってからの7球目。アウトローへワンバウンドになるほど低かった69マイルのチェンジアップに、イチローは空振り三振を喫した。

「この打席に関しては、こちらにチャンスはほとんどありませんでした。完全にピッチャーにやられた打席ですね。最後の球もボール球だとは思いましたけど、僕にとってはヒットにできる球だと思って打ちにいってます。この打席は相手が前進守備を敷いていたので、それだけチャンスはあったわけで、ライト前に引っ張るイメージは持てていましたから、これが最初のシヨックでしたね」

第4打席は、7回表。

この回の先頭打者として打席に入ったイチローは、アスレチックスのセットアップ、リカルド・リンコンと対峙した。左バッターの内角にシンカー、外角にカットボールを投げわけるサウスポーだ。

1球目、89マイルのストレートがインハイに外れる。2球目は懐に来た90マイルのストレートをファウル。3球目、84マイルのスライダーをカットし、4球目。

3球目と同じスライダーを叩いた打球は、レフトへ上がった。アスレチックスのレフトを守るエリック・バーンズが、落下点へ必死に走り込んでくる。もしや……しかし、バーンズはこの打球をランニングキャッチ。スタンドの観客もプレスボックスの記者も、総立ちになって息を呑んだ一瞬だった。

「でも、僕にとってはたまたま惜しくなっただけなんです。打った瞬間、角度をつけすぎたので、これは上がりすぎだから捕られると思いました。でもレフトが走り込んでくるのが遅かったんで、あれっ、まさかヒットになるのかと、走り始めてから思ったんです。この打席は3球目も4球目も、ヒットにできたボールでした。完全に僕の方のミスです」

256本目のヒットのあと、2打席凡退。

そして、同点で迎えた9回表。

2死走者なしの場面で、イチローに5打席目が回ってきた。マウンドには、クローザーのオクタビオ・ドテルがいる。スリークォーター気味に出てくる腕から、4球続けてムービング・ファストボールが繰り出された。外へ、内へ、暴れたボールは、3球ボール、1球がストライク。バッティング・カウントになってからの、5球目。

93マイル、アウトハイの甘いところに来たボールを、イチローは思い切り振った。しかし、ファウル。

「この球も、ヒットにできましたね。とにかくヒットが欲しいという精神状態の時には、どうしてもボールを見ようとする、見極めようとする意識が生まれてしまうんです。それによって、ほんのちょっと後ろにタイミングがズレる。もしそれがなければ、どこにでも打てるボールでしたから。右中間にも、レフト前にも、どこにでも打てたと思います」

ヒットが欲しくて慎重にいきたいという意識が、コンマ何秒かの遅れを生み、ズレを生じさせる。その結果、ヒットにできるはずのボールをファウルにしてしまう。

フルカウントから高めに来た6球目をレフト方向にカット、そして7球目。

アウトハイに浮いたボール気味の球にバットが空を切り、空振り三振。

「最後はどんなボールでも振ろうとしていましたから。フォアボールはいらないわけで、見逃すつもりはなかった。だから、とにかくファウルになってくれって思いながら、その可能性に賭けて振っていったんです」

三振を喫してベンチに引き揚げるイチローの口元が、一瞬、動いた。グラウンドでは感情を表さないイチローにしては、極めて珍しい行動だった。

「何か言っていたとしたら、英語です。クソーッて日本語で言っても感じが出ないんですよ。ああいう時は英語の方がハマりますね。だいたいはスラングですけど（苦笑）。あの時はオークランドのファンが喜んでる声が聞こえましたから、ここはきちっと前を向いておこうと思ってました。でも、気持ちの整理なんてできないですよ。1本のヒットが出ない限り、整理なんてできません……」

試合は9回裏、アスレチックスのボビー・クロスビーが放ったサヨナラホームランで決まった。結局、イチローはオークランドでシスラーの記録に並ぶことは出来なかった。

試合後のクラブハウスで、チームメイトがイチローを気遣っているのが痛々しい。ニコッと笑いかけてみたりする選手に、イチローが一瞬、苛立っているのが見て取れた。

ネットワーク・アソシエイツ・コロシアムからマリナーズの選手たちを乗せたチームバスが出る。車窓には、ふたたび殺伐としたオークランドの街並。乾燥したカリフォルニアの空気は、青い空と白茶けた建物をくっきりと浮かび上がらせる。

しかしイチローの視線の先には、翌日のシアトルで対戦することが決まっていたレンジャーズの右腕、ライアン・ドリースの姿が浮かび上がっていた。４月18日、シアトルで打った２本のヒット。そして４月23日、テキサスで打った２本のヒット。

「かなり具体的なイメージを描いてました。初球がこう来るかもしれないとか、そういう配球のパターンを考えてましたね。外の景色は見ていたと思うんですけど、覚えてない。整理なんかできませんよ。だからこそ、記録の壁を越えていくことは難しいんです。いつものように整理ができるくらいなら、新記録なんてすぐに出ます。そういう壁にぶち当たって整理ができないから、ほとんどの場合はそれに負けてしまうわけでしょう」

重たい気持ちのままのイチローを乗せたマリナーズのチャーター機は、陽が傾きかけた頃、シアトルへと飛び立った。記録達成を見届けたいとオークランドへ来ていた弓子さんは、一足先にシアトル近郊の自宅へ帰り着いていた。いつものように食事の支度をして、イチローの好きなものを食卓に並べ、彼の帰りを待った。そしてシアトルの空港に着いたイチローは愛車に乗って、自宅へと向かう。車内には、ザ・ブルーハーツの曲「未来は僕等の手の中」が流れていた。ここまで10試合、ずっとヒットが続いていたから、その間は同じ曲を聴いていたのだという。

つらい時、苦しんでいる時、この野郎って思っている時、ずっと彼を勇気づけてくれたフレーズ――〝僕等は負けるために生まれてきたわけじゃないよ〟。

10月1日、シアトル。

ひんやりした空気が頬を心地よく刺激する。小高い丘の上にあるイチローの自宅からは、美しい湖と森、目映《まばゆ》いばかりの青空を見渡すことができた。それでも、イチローの心は晴れなかった。

「そりゃ、晴れないですよ。とにかくずーっと晴れない。家の中であろうと、球場であろうと、次のヒットが出るまでは晴れないんです。どんなに気持ちのいい練習をしたとしても無理ですよ。僕、あの日は空なんか見えてなかったですからね。もう、自分の気持ちが晴れないことにいっぱいいっぱいで……」

イチローは、気持ちが入りすぎないよう、〝必死に〟普通でいようとしていた。

午後1時半に家を出て、いつもと同じ2時過ぎに球場に着く。マッサージを1時間、3時15分からウエイト・トレーニングとティー・バッティング。ストレッチでは普段の動きを忠実にこなす。5時20分にクラブハウスに戻って、少しの間、ボーッとする。その間、チームメイトやスタッフがイチローのもとへサインをもらいに来る。シーズン終了間際のお馴染みの光景だが、記録のかかったイチローにしてみれば、少しばかり鬱陶しい思いもあっただろう。6時15

分に体操をして、ユニフォームに着替える。試合直前、ベンチ裏でマシンのボールを打つ。そして試合開始。いつものようにライトへ駆けていく背番号51。高まってきたのは、1回表の攻撃が終わった瞬間、第1打席に向かってライトからベンチへ駆け出す瞬間だったのだという。

　第1打席、イチローが打席でバットを高々と掲げる。埃をかぶった歴史が書き換えられたのは、その直後のことだった――。

「日本からの目というのは脅威ですよ」

[独占インタビュー]「イチロー　日本人の誇りを胸に」文藝春秋2005年3月号

ヒットの数を最大の目標としてきたイチローが、そのヒットの数でメジャーリーグの歴史を塗り替えた。いわば〝世界の頂点〟に立ったイチローに、あらゆる質問をぶつけてみた。これまでに対峙してきた〝プレッシャー〟とは。日本からの視線をどんなふうに感じているのか。どんな男をカッコいいと思うか。イチローらしく生きるために大事にしなければならないことは何か……。イチローはすべての質問に対して、真摯に言葉を紡いでくれた。

――日本に帰ってきて二カ月。メジャー一年目に大活躍をして帰国した時は、まるで動物園にいる動物のような状況だと話していましたが、一シーズンのメジャー最多安打という歴史的な快挙を成し遂げて帰国した今年のオフは、どうですか。

「同じような状況にはなっています。こういうときは本当にみんながちやほやしてくれるし、デパートに買い物に行けば、身動きがとれなくなることもあります。ただ、今はそれがイヤじゃないんです。一年目のときはいろんなことを鬱陶しく感じたんですけど、今年はそれがない。あの時は二年目への不安がありましたけど、今の僕には、近い将来に対する不安が、当時と比べればずっと小さくなっています。そこが大きな違いなんでしょう。今は周りの異様な反応を素直に受け入れてしまう自分がいるんです。『すごかったねぇ』と言ってもらえれば、以前は『いえいえ』と言っていたのに、今年は『ありがとうございます』と答えることができますから。要するに、すごかったと言われる自分を受け入れているわけです。『去年はすごかったねぇ』と言われたら、心の中では『去年も、だろ』とは思ってますけど（笑）」

――そういう心の余裕は、何がもたらしてくれていると思いますか。

「もちろん、技術に対する自信がなければ、野球選手としての不安を取り除くことはできませんから、それも大きいかもしれません。でも、それより、『オレは調子に乗るよ』ってことです（笑）。だって、誰よりもたくさんのヒットを打ったわけですから、ここで戒める必要はないでしょう。ちやほやしてもらえれば気持ちもいいし、ここで調子に乗れなかったら、調子に乗る時なんかありませんからね。財前も言ってましたよ、そういう自分を戒めてばかりでは人生が終わってしまうって」

――財前って、ドラマ『白い巨塔』の財前五郎のことですか。

「そうそう。こんな時くらい、そういう気持ちよさを味わってもいいだろうと思います。どうせ一瞬のことですし、自分に自信が生まれてある程度の時間も経っていますから。今さらちやほやされたって浮き足立つような自分じゃないし、こんな時くらいは甘えてもいいでしょう」

――一昨年、三年連続二百本安打という目標を前にして、吐き気を感じるほどのプレッシャーを感じたという話を伺いました。それに比べて、去年の二百五十七本というメジャーリーグのシーズン最多安打記録を前にした時は、プレッシャーはどうでしたか。

「それは比較になりません。一昨年は二百本を打つためにまだ何試合も余裕がありましたけど、去年は一試合もムダにはできない状況でしたから、プレッシャーははるかに重かった。しかも、二百本安打を打つ選手は毎年二、三人は出ますけど、二百五十七本を打った選手は八十四年もの間、一人もいなかったわけですからね。二度と達成できないかもしれない記録が目の前に現れたとき、どうしても欲しいという気持ちを抑えることはできませんでした」

――去年のシーズン中、明らかな誤審によってヒットを二、三本損してます。あと一本、二本というところまで来ると、あれがヒットになっていたら、と振り返ってしまうようなことはありませんでしたか。

「いや、むしろ、あれがなければここには来られなかったと考えます。あれがあったらもっと、とは考えない。だから、もし（記録に一本届かない）二百五十六本でシーズンを終えていたとしても、あの時の誤審がなければ、とは思わないでしょうね。それは、高校の時に読んだ巨人の桑田（真澄）さんの本の影響かもしれません。その中に『目の前で起こっていることが一〇〇パーセントだ』と書かれていた。起こるべくして起こっていることだからそれはすべて受け入れなくちゃいけない、という意味だと思うんですけど、その言葉に妙に共感した憶えがあります。当時から僕も、同じような感覚を持っていたんですけど、そういう表現はできていなかった。いろんな経験を重ねてきて、そうした方が明らかに前に進めると、頭が覚えてくれたのかもしれません」

――今回のプレッシャーをどうして乗り越えることができたのでしょう。

「それは、常に諦めなかった、ということです。というのは、（新記録まで残り二十試合で二十六本が必要だった）九月十三日のエンゼルス戦でヒットが出なかった時、僕は家に帰ってからもショックを引きずってしまい、ご飯を食べながらずーっと考え込んでしまっていたんです。

そうしたら弓子（夫人）が『ここまで来たんだから、打てなかったらそれはそれでしょうがないじゃない』って言った。僕、その言葉にキレてしまって（苦笑）。そんなことは打てなかった時にあとから思うことであって、今、そんな気持ちになってしまったら絶対に打てないって反発してしまいました。あの時は僕もそうでしたけど、弓子も辛かったと思います。ただ、もし『そうだよな』と思ってしまう自分がいたとしたら、きっと記録に並ぶこともできなかったでしょう。『それは違う』と思えたからこそ、結果を出せたんじゃないですか」

――励まそうとした弓子夫人の言葉に反発できた自分がいたからこそ、あれだけのプレッシャーと向き合う中でも記録を更新できた。

「反発しようとしたわけではなくて、自然にそう思えた自分がいたんです。弓子の言葉を聞いた僕の素直な、純粋な反応でしたから。もちろん、その時はしまったと思いましたよ。だって、彼女も一緒に戦ってくれているわけですし、当然、達成してもらいたいという気持ちは弓子だって強いわけですから。僕の食事中の口数が少なくて、家の中での様子がいつもとはあまりにも違ったからこそ、慰めようというか、気分を落ち着かせてあげたいという彼女の気持ちから出た言葉だったわけでしょう。そういう思いに対するやさしさが僕の言葉の中にはまったくなかった。さすがに弓子が気の毒になりましたね」

――他人事みたいに（笑）。

「でも、記録を前にした時の気持ちというのは、本人にしかわからないことなんです。それを超えることがどれほど気持ちのいいことなのか、やったことのある人にしかわからない。僕は世界記録というものに挑んだことはありませんけど、今までにいくつかの日本記録も含めていろんなものに挑んで、超えてきましたから、その気持ちよさを知っていました。そういう意味では、ここまで積み重ねてきたものがあったからこそ、諦めない自分でいられたんじゃないでしょうか」

——積み重ねてきたものといえば、たとえば高校時代、ピッチャーとして春の甲子園に出場した時のプレッシャーはどうでしたか。

「甲子園でのプレッシャー……そういえば、ありましたね。当時は僕のことを何千万人もの人が見てるんだって勝手な解釈をしていたんですよ。でも、実際には僕を見てる人なんてごく一部。だから、自分だけで気にしてた感じがしますね」

——それが最初に感じたプレッシャーだったんですか。

「いや、それぞれレベルの違いはありますが、たとえば小学生の時、クラスで一番の成績を取ったらファミコンのカセットを買ってもらえるとなれば、それに挑むこともプレッシャーでした。子供心にはどうしても欲しいものですからね。もちろんそのプレッシャーと、甲子園の時のプレッシャーとでは明らかに違いましたけど、小学生なりには感じていました。ただ、第三者の目を意識した時に働くプレッシャーと考えれば、甲子園で感じたのが最初だったのでしょう」

――それは、第三者の数が増えればそれだけ大きくなるものなんですか。

「たぶん、そうでしょうね。たとえば二百本安打という僕の個人的な目標に関心を持つのは野球が好きな人たちだけで、それほど多いわけではないと思うんです。ワイドショー好きの人たちが気にしているかといったら、違うはずです。でも今回の記録は、そういう層の人たちまで巻き込んだという実感がありましたから、それだけプレッシャーもかかったような気がします。もし達成できなかったらどうなったんだろうと考えると、恐ろしい。期待が大きい分、できなかった時の反動も大きくなる。二百五十六安打したとしてもマイナスの空気が流れたでしょうし、なんだ、並ぶこともできなかったのかって思う人はたくさんいたと思いますよ」

――アメリカでプレーしている姿を見ていると、余計なことを考えないで集中しているイメージが強いんですけど、ワイドショー好きな人たちのことまで意識しているものなんですか。

「日本からの目というのは脅威ですよ(笑)。僕はアメリカ人の目はまったく意識していませんん。アメリカ人は、興味のないことに関しては、どんなに大きなニュースがあろうとも、みんながそこに集まってしまうようなことはないからです。だけど、日本人は報道のされ方にものすごく敏感で、関心のないことでも、大きく取り上げられているというだけで、そこに殺到してくる傾向がある。二百本って何のことっていう人まで、あの時には記録まであと何本かを知っていました。だから、アメリカ人に対しては野球に関心のある人たちだけを対象に考えればいいんですけど、日本人に対してはそういうわけにはいきません。そのパワーは、まさに脅威です」

――去年、あれほどの注目を浴びる経験をして、プレッシャーの克服法が、高校時代から今に至るまでに、変わってきているという実感は持ちましたか。

「去年、行き着いた一つの答えは、プレッシャーを克服する方法なんて、結局はないんだ、ということです。以前はプレッシャーが目の前に現れるたびに、どうやったら簡単になくなってくれるのか、プレッシャーがない普通の状態に近い自分をどうやって取り戻すことができるのかと、そういう〝薬〟みたいなものを探していました。でも、そんなものはないんだというのが現段階での結論です。そう思えたことは大きいですよ。あるかもしれないと思っているのと、ないんだと割り切っているのとでは、プレッシャーに対する向き合い方はまったく違ってきますからね」

――〝薬〟を探してた時期というのは、いつ頃のことですか。

「一九九五年からです」

——二十歳で二百十本のヒットを放って日本新記録を達成した翌年。

「二百十本については、プレッシャーを乗り越えて打ったという感じがあまりしていないんです。僕にとっては、レギュラーとして試合に出続けた最初のシーズンで、当時の記録が何本だったのかも知らなかったし、五月の時点で、このペースで行けば二百本は打てるなって言ってたくらいですから。今思えば、そんな自分が恐ろしいですよ。過去に経験がないので、比較ができなかったんでしょうね」

——でも、そういう怖いものなしの気持ちでやっていた頃の野球の方が、いろんな経験を重ねて難しさや奥深さを知ってからの野球よりも、楽しかったんじゃないですか。

「九四年の頃の僕には、笑ってる印象があったはずです。子どもみたいな顔をして、ヒットをたくさん打って、そのたびに笑って、そういう写真をずいぶん目にしたと思います。でも十年後、それはきっと正反対になってますよね。イチローは笑わない。実はそうなっていることが僕にとっては快感なんですよ」

——快感？

「九四年の僕というのには、目の前に現れることが新しいことばかりで、楽しくてしょうがなかった。苦しみなんて、微塵もない。それが、だんだん変わってくる。野球をする姿勢、表情が変わってきているはずです。それは、僕が何かを感じ取ってきた証拠でもあると思います。何かを感じながらグラウンドの上に立ってきたからこそ、表情に変化が現れている。ということはつまり、成長してきたということですよ。それが、表情を見ただけでわかるんですから、快感です。今も昔と同じ表情をしていたら、すごく残念でしょうね。まったく深みのない、自分の言葉も持てない、薄っぺらな選手にしかなれなかったということですから。

次に起こるかもしれない怖さを知ったら、いちいち満足感に浸ってなどいられなくなる。笑っているということは、その時点でものすごく満足感を得ているということなんです。でも、相手はその直後から、常に僕の中に芽生えるスキを探している。笑っているということは、必ずスキが生まれているはずです。笑顔が消えたのは、次のプレーに対する恐怖を知ったからなんです」

――メジャーでも突出した存在でありながら、そんなわずかなスキを恐れなければならないほど、ギリギリの中で戦っているんですか。

「メジャーでの相手との差なんて、ほんのわずかな範囲のものですよ。圧倒的な差があったら、今でも笑いながら野球ができるでしょうね。僕にとっては、高校を出てすぐの九二年にプレーしていたオリックスの二軍、あのチームの雰囲気は最高でしたから、すごく楽しかった。でも、楽しいのとおもしろいのとは、ちょっと違うと思います。今だって、草野球の中に入って野球をやれば楽しいし、きっと笑いっぱなしですよ。でも、おもしろさというのはそういう次元では味わうことはできない。

F1のレースではコンマ何秒の差が天と地ほどの違いだと聞いたことがありますけど、メジャーでの相手との差も一緒だと思います。確かにメジャーに来てから格上だと感じる選手は年々、減ってきてはいますけど、それでも見下ろされていると感じる相手はまだ何人か、いますからね」

――それは、誰なんですか。

「打ちにくいとか打ちやすいとか、結果として残っている数字とは関係ないんです。これは表現しづらいんですけど、僕が日本でプレーしていた頃、工藤（公康）さんからはかなり打ったはずですけど、格下にはとても思えませんでした。高校の先輩だからということではなく、工藤さんの持っている、マウンド姿から感じさせられる空気は、常に僕が見下ろされている感じがするんです。打った、打たないは関係ない。工藤さんと最後に対戦した時、いきなりクイックで投げてきた時には、初めて工藤さんを超えられたのかなぁと思いましたけど、あの時、工藤さんが堂々と投げてきていたら、そういう気持ちは持てなかったでしょうね」

――それはメジャーでも、感覚としては同じなんですか。

「同じです。こちらでも時々、何かを試されていると感じさせられることがあります。メジャーで言うならティム・ハドソン（イチローがメジャーで初めて対戦した投手）や、ペドロ・マルティネス（メジャー最強右腕）はそういう相手です。すごくイヤだけど、すごくおもしろい相手でもある。この二人には、揺るぎないプライドを感じます。人生で一番時間を費やして、本当に好きなことをやっていて、ギリギリのところで、苦しいけど何かを越えていく。そういう喜びを味わえる相手です」

――それほどレベルの高い舞台で、しかも日本人でありながらトップクラスの選手としてプレーしている中で、イチローさんが自分でこうでなくてはいけない、と意識していることはありますか。

「メジャーリーガーとして、というより野球選手としてどうあるべきかということは常に意識しています。それは、自分が見えているか、ということです。選手の発言を聞いていれば、どう感じて、どんな言葉を発しているのか、そこで自分が見えているか、いないかがよくわかります。たとえば、あるプレーが、自分にとってはそれほどのことではなかったのに、第三者的にはファインプレーに見える。その見方に乗るか乗らないかによって、自分が次にどこを目指すのかというのは変わってくると思います」

――そういう見方にイチローさんは乗っかろうとは思わないんですか。

「僕は絶対に乗りません。そういう時期はとっくに過ぎました。九六年あたりはそうでした。

否定されることにすごく恐怖を感じていました。この年、オリックスが巨人に勝って日本一になった日本シリーズの第一戦で、僕は決勝のホームランを打ったんです。でも、それだけだった。僕としてはまったく力を発揮できなかったし、消化不良でした。それでもあの一本があったおかげで、世の中の評価はそれほど低いものではなかったんです。

当時、僕は『去年の日本シリーズよりも力が発揮できたと思います』と言った記憶があるんです。今、振り返るとものすごく恥ずかしくて、あれこそ弱さの裏返しだったと思います。自分に対するマイナスの風を受け入れられるかどうか。そこで強がらずに『よくなかった』と言えるかどうか。そこが、自分が見えているかどうかの分岐点でしょう。強がっているうちは、人よりも上に行くことは無理でしょうね」

――やせ我慢って、他人にわかってもらうのは難しいですからね。

「僕らのような立場になれば、どうしたってたくさんの人にいろんな意味での影響力を持ってしまう可能性がありますから、第三者にどう見られるかを意識することは必要だと思います。ただ、僕が意識しているのは広い対象ではなくて、ある程度、少数の部分ですが」

――わかっている人だけにわかってもらえばいいということですか。

「いや、ちょっと違いますね。何と言えばいいかな……自分で、自分の力で生き抜いてきている人たち、かな。何かにくっついている人ではなくて、自分だけの力で何かをしようとする人たち、実際にしている人たち。『何かになりたい』と思っている人たちではなくて、『何かをやりたい』と思っている人たちです」

――巨人の小久保（裕紀）選手がダイエーにいた頃、ホームラン王争いのトップに立って『お前の気持ちがよくわかった、自分が自分でなくなっちゃう感じがする』とイチローさんに言った時、『僕はトップに立ってもそんなふうにはならない』と反論したという話を聞いたことがあります。それが、今の話とつながりますか。

「あの時、小久保さんは『トップに立って初めて、一瞬なら上に立つことはできても、それを続けることは難しいんだとわかった』という意味のことを言ったんだと思いますけど、確か僕は『小久保さんはホームラン王になりたくて野球をやってるんですか』と聞き返したはずです」

――つまり、首位打者やホームラン王になりたいんじゃなくて、野球をやりたいんじゃなかったのか、と。

「そうですね。でも、先輩の小久保さんに対して僕もずいぶん生意気なことを言ったと思いますけどね（苦笑）」

――イチローさんが自分らしくあろうとした時に、大事にしなくてはいけないと思っていることは何ですか。

「ウソをつかないことでしょう。相手にこう思って欲しいがためだけに、安易に言葉を発しないということは大事だと思っています」

――では、イチローさんはどういう男のことをカッコいいと思いますか。

「たとえば飲み屋に気に入った女の子がいるのに、何度その店に行っても彼女には一切触れずにいて、そのうち向こうから触れて欲しいと言わせる男。それ、カッコいいですねぇ。役者でいえば役所広司さん。実際の役所さんのことは知りませんけど、あの人にはそんなイメージを持っています。あと、仰木（彬）監督もカッコいいと思いますよ。器が大きい感じがするじゃないですか。何もかも受け入れてしまう大きさ。王（貞治）監督にもカッコいいイメージを持っています」

――アメリカという国に対しては、どんなイメージをお持ちでしょう。

「自己表現の違いは明らかですね。自分を自分以上に見せようとするのがアメリカ人で、自分をできるだけ隠そうとするのが日本人だと思います。それが美徳なのか、そうしないと生きていけない文化なのか、そこはわかりませんけど。少なくとも自分を抑えることに美しさを見出そうとしている感じは、日本人の方により感じますね」

――九・一一の同時多発テロの時、イチローさんはアナハイムにいましたけど、あの時に感じたアメリカという国をどんなふうに覚えていますか。

「よっぽど自分の国を愛しているんだろうなとは感じましたね。どの家にも必ず国旗がありますし、愛国心みたいなものを強く感じさせられました」

――異国でプレーするにはコミュニケーションが欠かせないとよく言われます。それはやはり大事ですか。

「チームという組織に入る以上、ある程度は必要だと思いますけど、それだけではダメでしょうね。僕は、野球がなければアメリカに絶対に受け入れてもらえなかったと思います。実際、言葉の勉強なんか何にもしていないし、食事だって日本食ばっかりです。そう考えると、コミュニケーションなんて、あまり大事じゃないのかもしれない」

――メジャーに行ってみて、改めて日本がいいと感じることもあるんですか。

「もちろん、日本は最高ですよ。だって、日本で生まれたんですからね」

――だとすると、アメリカにいて孤独感に苛《さいな》まれたりはしませんか。

「そもそも僕、団体行動が大嫌いですから、日本人が少なくても気になりません。日本にいた時、ホテルでみんな一緒に食事をするじゃないですか。そういう時でも僕は、一人だけ違うテーブルで食べるのが好きでした。みんな、だいたい誰かがいる方へいくでしょう。でも、僕は誰もいない方にいく。無理してるわけではなくて、前向きに、そっちへいく。みんなのところへいってしまう自分の方が、よっぽど寂しい（笑）」

――それでもアメリカであれだけの成果をあげられるんですね。

「もちろん、一人では無理です。その代わり、弓子が大変ですよ。僕にかかってくる生活の負担を一手に引き受けてくれているんですからね」

――イチローさんにとって、友だちというのはどういう存在ですか。

「宝でしょう。弓子も含めて、宝です。弓子は奥さんだし、相談相手でもあるし、時には後輩みたいになるし、お母さんにもなるけど、友だちでもある。団体行動は嫌いでも、人間、生きていくのにずっと一人ではさすがに寂しい。誰かと一緒に過ごしたい時に思い浮かぶとしたら、やっぱり友だちですからね。両親とも友だちのようになれたら最高でしょう。家族というと重たい感じがしてしまう。今では、ウチのオヤジと一緒にゴルフをしたりするんですよ」

――友だちは多い方ですか。

「いや、小、中学校で一人、高校時代の友だちも三人かな。少ない方だと思います。まぁ、親友が十人もいますなんてヤツのことは信用できませんけどね。今の僕には子どもはいませんし、利害関係なく一緒に時間を過ごせる相手というのは素晴らしい宝だと思います」

――今、子どもがいないと言われましたが、周りから子どもはまだかとよく聞かれるそうですね。

「時々、聞かれますね。この間もタクシーの運転手さんに言われました。正直に言えば、今のところは、どうしても欲しいとは思っていません。なぜですかねぇ……。教育というものに対して、まだ自分に自信がないんでしょうか。果たして自分にできるのかという不安があるのかもしれません。あとは（飼い犬の）一弓《いっきゅう》が拗ねるかもしれませんし（笑）」

——犬が拗ねますか。

「拗ねますよ。でも、他人の子どもを見たらかわいいと思いますし、いいなぁとは思うんですけどね」

——ところで、イチローさんは去年のオフから何度かヤンキースの松井秀喜さんに対して厳しいことをいくつかのメディアで仰ってきました。「記者を育てるのが選手だとしたら、松井さんの取材対応では記者が甘んじてしまう」とか。それは、なぜだったんですか。

「もちろん、期待をしているからです。彼は僕の一つ下で、同じ世代ですし、高校時代から面識があって、よく知っている間柄でもあります。去年までのことで言えば、日本人の野手としてレギュラーでメジャーの試合に出続けた選手は僕と彼だけでしたから、僕らにはそれだけの影響力があると考えています。だからこそ期待をしてきたし、今も期待をしているからこそ、ああいう言い方になってしまうんです」

——去年、放送されたテレビの対談番組では、直接、本人にも言いたいことをズバッと言ってましたね。「松井は〝ゴジラ〟なんだから、フェンスを突き破ったり、滑りこんで芝生を抉ったりして欲しい」とか。

「後輩なんですから、彼がチームメイトだったら、もっとハッキリ言いますよ。ただ、同世代で、お互いがこれだけ世の中に影響を与えられる立場でいられるというのは、そんなにあることではないと僕は考えています。だから彼にはもっと周りを見て発言をして欲しいし、広い視野で物事を捉えて欲しい。軽い気持ちで言ったことが、どれほどの影響力を持って世の中に伝わっているのかということを意識していて欲しいとは思います」

——松井さんは、巨人という成熟した組織の中で、メディアから守られていた存在でした。それが、よく言えば慎重な、悪く言えば無難な発言につながっているのではないかと思うんですが。

「本心からそう思っているのならいいんです。でも僕が実際に見聞きした限り、一年目の初めの頃の言葉と、去年の最後の頃の言葉を比べても、あまり違いを感じない。あれだけの選手が、メジャーで二シーズンも戦って、何かを感じていないはずがないんだから、それをしっかりと伝えてもらいたいんです」

——それが歯痒いんですか。

「松井秀喜という選手は、何もかもが僕とは正反対なんです。僕にないものが彼にあって、彼にないものを僕が持っている。だから、もっとガツガツして欲しいし、ホームランをガンガン打って欲しい。走り方も捕り方も投げ方も不細工な方がいいんです。それでも、誰よりも打球を遠くへ飛ばしてしまう、というところが彼の魅力でしょう」

――松井稼頭央さんに対しては。

「稼頭央にも期待していますよ。でも、去年までの段階で言えば、レギュラーとしてそれなりの数字を残しているのは僕と松井秀喜の二人しかいないわけですから、今の稼頭央にはまだそうは言いません。もちろん、期待はしています。それは松坂（大輔）や上原（浩治）に対してもそうです。実際、松坂と上原は、何も言わなくてもそういうことをわかっている選手だと思うし、彼らなりの表現をしてくれると信じていますからね。もし松坂や上原がメジャーに来て、急に軽い気持ちで発言をし始めたら、『お前、何やってんだ』って、本人に言いますよ」

――それは、メジャーという舞台でそれなりの実績を残した日本人が背負わなくてはいけないものなんですか。

「今のところはそうでしょう。まだ日本人がメジャーに行くことがニュースになってしまう時代ですから。これが、行くだけではニュースにもならないような時代が来たら変わってくると思います」

――まもなく五年目のシーズンが始まりますね。

「何を言ってるんですか。オフはこれからですよ」

――これからって、もう二月ですよ。

「だからこそ、楽しむんです。二月一日からが僕にとっての本当のオフなんですよ。日本のプロ野球の選手が一生懸命練習してる時に、まだ日本で遊んでるのって最高じゃないですか。ということで、僕は二月一日からオフを満喫して、スプリング・トレーニングまではしっかり遊ぼうかなと思ってます」

――そう言って、こっそり、しっかり練習するんでしょう。

「さて、どうでしょうねぇ（笑）」

「本来、当たるはずのところにボールが当たらないんですよ」

［262安打の先へ］イチロー「2割9分3厘の意味」Sports Graphic Number 632/JUL 2005

シスラー越えを果たしたイチローはシーズン最多安打の記録を262本まで伸ばした。フォームを変えて「バットを線に入れる」という感覚をつかみ、劇的なまでにミスショットを減らした。イチローが自身で「無敵」とまで表現したバッティングはその翌年、落とし穴にはまりこんだ。6月以降、3割を切ったことのないイチローが2割9分3厘まで打率を落としたのだ。3割を切ったイチローは、どこにその理由を求めているのだろうか。

いったい、どうしたというのだろう。

イチローの打率がついに3割を切った。6月26日、サンディエゴでのパドレスとのゲーム。今季初めて先発から外れたイチローは代打で登場して凡退、その数字を2割9分3厘まで下げたのだ。第一線でプレーするようになってから11年もの間、6月以降に3割を切ったことが一度としてなかったイチローが、ここまで打率を落としたことは、一つの〝事件〟だった。オールスター直前、前半戦最後の遠征先だったアナハイムで、あの打率に対してどんな想いを抱いていたのか、イチローにそのままぶつけてみた。

「2割9分3厘か……まぁ、平凡な選手の仲間入りですよ（笑）。完全にそうでしょ。数字だけでいうとね」

思えば今シーズンが始まる前、84年ぶりに記録まで塗り替えてしまって、どこにモチベーションを持っていくのかと訊ねたとき、イチローはこんなふうに言っていた。

「見てる人を不安にさせたいっていうのはありますね。成績が上がってこない。おい、どうしたんだって思わせるのは、なかなか楽しいもんですよ。見てる人の期待って、メチャメチャやるか、全然ダメか、そのどちらかでしょ。〝2割5分〟か〝4割〟か。だから、まず不安にさせたいんです。でも終わってみると、やっぱり上がってきたっていうのが最高かな（笑）」

まさか、狙っていたわけではなかろうが、まさにイチローの言葉通りになってしまったシーズン序盤。例年、悪いはずの4月に3割5分も打った挙げ句に、5月、6月と数字を落とし、見事、見る人を不安に陥れた。

「確かにそんなこと、言いましたね（苦笑）。でもスタートの時点でそうならいいんですけど、さすがに6月の時点ではまずいでしょう。実際、フロリダまでは厳しかったですよ。フロリダでの2、3試合目、ウィリス、ベケットあたりとやった頃がなんとか持ち直そうとし始めた頃で、（6月10日の）ワシントンからはスキッとした状態で野球がやれるように、ようやくなりました。フロリダの1つ目までは、苦しかったですねぇ……」

6月7日、フロリダ州マイアミ。

1000本安打までのカウントダウンが始まり、それでも思うようにヒットが出なくなっていたイチローは、3連戦の初戦でマーリンズの右腕、ブライアン・モーラーと対戦した。その第1打席、イチローは甘いまっすぐを、第2打席では外へ沈むボールを、いずれも芯で捉えることができず、ともに力のない打球をショートの前に転がした。

このとき、イチローを違和感が支配する。あまりにも捉えられない。こんなはずじゃない。開幕からずっと引きずっていたストレスは、この日、頂点に達した。

「芯に当たらないんですね。前に飛んだときはもちろん、ファウルでも、芯に当たんないんですよ。当然、ヘッドもきかないし、強い打球もいかない。本来、当たるはずのところにボールが当たらないんですよ……さすがにあれはショックでしたね」

思い余ったイチローは、クラブハウスのビデオの前に座り込んだ。そして、モーラーに対した自分の姿を目で確認しようとした。

「僕はビデオをほとんど見ないんですけど、さすがにこれだけボールを捉えられないと、(原因が)見えてるところにあるんじゃないかと思って、見たんですよ。そしたら……」

ビデオの前で自分のバッティングを見たイチローは思わず、こう呟いた。

「こら、いかんわ」

4月を・356というハイペースで滑り出したイチローだったが、実は開幕からしっくりこないバッティングに不安を抱いていた。

「だから4月が終わったとき、3割5分の数字が残ったのがすごくイヤだったというのは本音だったんです。それによってすべてをよしとして、忘れてしまうのを避けたかった。数字が残る怖さというのはそこですよね。4月に感じていたはずのズレに気づけずに5月に入っていった、それでボロが出てきた……そういうことだったと思います」

フォームを変えて劇的にミスショットを減らすことに成功し、262本ものヒットを放って、あのイチローをして「無敵だ」とまで言わしめた2004年のバッティングに、いったい何が起きていたというのか。イチローは、意外な一言を口にした。

「遅いんですね、動き出しが……」

動き出しが遅い——確かに数字を落としていた頃のイチローのバッティングを思い起こせば、何の変哲もないド真ん中のストレートに対してまるで振り遅れたかのような空振りを喫したり、カーブに明らかにタイミングが合っていないと感じさせる空振りをしたり、あまり覚えのない光景をずいぶん目にしたものだった。そう考えると、動き出しが遅いと言われれば、辻褄は合う。

「去年のバッティングについて、フォームを変えたらバットを線に早く入れることができるようになった、という話を以前にしましたけど、それは上半身の変化です。下半身に関してはとくに意識をしていなかったし、自然に上半身の動きについてくるものだと思っていた。それが、そうではなかったんです。下半身にもそれなりの動きが必要で、そこが疎かになっていたことに気づきました」

フォームを変えてからのイチローは、意識を上半身に置き、背筋を伸ばすことやバットの軌道に気を取られていた。そのせいで、知らず知らずのうちに下半身の動きがズレてきていた。その結果、ピッチャーの動作に対して動き出しが遅くなる。それでも上半身の進化によってヒットを打ててしまったが故に、そのズレに気づくことができず、狂いの幅がいつしか大きくなってしまったのだ。

イチローによれば、何かを変えたり微調整を施したあとは、まず意識をそこに置くのだが、やがて意識しなくてもその動きが体に染みつき、完全に自分のものになるのだという。イチロー自身が「進化」と表現したほどの去年のバッティングは、上半身に意識を置くことで可能になったのだから、同時に下半身に意識を持てていなかったのも無理はない。

「そこがバッティングの難しいところなんです。意識しないでできるときと、意識しないとできないときがある。どうみてもヒットにできそうにもない球にも、僕は打てると思って手を出すんですけど（笑）、ズレがあれば結果が出ない。意識が下半身にないから、修正できないんです。気づかないままそういうことが続くと、ボールを体で見るんじゃなくて、目で見ようとしてしまう。それによって、すべての動きが0コンマ何秒か、遅くなります。そこからすべてが狂い出すんですね。これが一番怖いことだと思い知らされました。だから、去年のものは完璧ではないということもわかったし、今は完璧だと思っていたものよりももっと前に進んでいるはずですよ」

イチローは去年、つかんだ感覚を「小学生の頃に戻ったようだった」と表現した。実に今回も、練習中にふと蘇ってきた子どもの頃のある光景がヒントになっていた。

「小学校5年生のとき、バッティングセンターで、誰も打てない一番速い球をガンガン打っていたんですけど、その球、どの大人がいっても打てないんですよ。バットさえ振れないし、まったく当たらない。それをガリガリの小学生がガンガン打ってるわけですから、皮肉混じりにからかいたくなったんでしょうね。一人の大人が、『コイツに力なんかないじゃないか、こんなのタイミングだけだよ』って言ったのを突然、思い出したんです。それがヒントになりました。その通り、そのどこが悪《わり》ぃんだって（笑）。結局、タイミングなんですよ、僕のバッティングって。それが崩れると、全部、崩れる。そのときの彼の皮肉が今の僕の助け船になったんですから、ムダなことを考えるというのは、やっぱり大事なことなんですよ（苦笑）」

　では、イチローはビデオで見つけた狂いをいったいどのように修正したのだろうか。

「だから、早く動き出すこと、前に行くことというオプションを今までのバッティングに加えました。最初のポイントが遅いと全部が遅くなるわけですから、そこを早くすればいい。動き出しのタイミングをね」

　ずいぶんサラッと言ってくれたが、そんなに簡単にできることなのだろうか。

「いや、難しいですよ（笑）。体に染みついているものですから。あぁ、行かなきゃと思ってるのに、体は行ってくれない。だから練習でも、早すぎるくらいでいってちょうどいいと思ってます。僕、こっちに来たとき、詰まることを恐れてはいけないと思いましたけど、もう一つ、前に出ていくことを怖がってもいけないんですね。普通に考えると、上体の動きはなるべくない方がいいんでしょうけど、僕の場合はどんな形になろうともグリップは残るようになってる。だったら、前に出ればいいんですよ。どれだけ前に出てもグリップは残る。そこが他のバッターとは決定的に違う、僕の持ち味なんですから」

6月8日、フロリダでの2戦目にマーリンズの怪物左腕、ドントレル・ウィリスと対戦した日から、イチローは意識的にピッチャーに対して早く出ていくことを試みる。

もっと早く、もっと早く出ていけ。

イチローは心の中でそう叫びながらボールを叩きにいった。それでも答はすぐには出なかった。打率が3割を切り、2割9分3厘まで落ち込んだのは、その1週間後のことだ。

「意識を変えて打席に立ち始めて、そのあとにも10打数0安打とかあったんですよ（6月22、23日のアスレチックス戦で10打数ノーヒット）。でも、そのときにはもう、自分の中の揺らぎはありませんでした。意識するポイントを変える前の10打数0安打は1本か2本しかヒットにできない感じでしたけど、変えたあとは9本までヒットにできる感覚でしたから。ピッチャーに対しても、『アンタ、運が良かったんじゃないの、ジトーちゃん、それで満足してたら、そのうち見とけよ』みたいな感じでしたし……（笑）」

修正を施された下半身の動きは、すでに体に染みついた上半身の動きとリンクするようになってくる。狙っていないホームランが出るようになったのはこの効果だ。明らかな違いは、滞空時間。高く上がった打球がスタンドにまで届くようになる。ビセンテ・パディーヤ（フィリーズ）から打った4号、石井一久（メッツ）からの5号、バリー・ジトー（アスレチックス）からの6号——。

「フロリダのあとに打ったホームランは全部そうですよ。狙ってないのに、フェンスを越える。体の力がボールに伝わっているんでしょうね。僕の場合は体の力を全部使わないとフェンスは越えない。狙ったホームランはそういう動きがなくても打てるんですけど、狙っていないホームランは上も下も、体の力を全部使わなければ打てませんから」

進化の先には必ず壁がある——イチローのバッティングは、その繰り返しだ。そのたびに壁を乗り越え、ぶち壊してきた。

「そりゃ、苦しいですよ。苦しいけど、バッティングに終わりはない。もうこれで終わりというのがないから、救われるんです。もし2割9分3厘でも、まぁ、いいんじゃねえの、と感じている自分がいたら、ぶっ殺してやりたい（笑）。そんな打率しか残せていないことに憤りを感じている自分がいることは、悪くないですよ。これで3割切って悪くないなと思い出したら、僕、野球、やめます。4割を打つか、3割を切って満足したら、僕、確実に野球やめますから（笑）」

試合後の打率が3割を切ったのは、14試合。そのとき、すでに原因を探り当てて前を向いていたイチローは、難しい問題を解く面白味を、存分に味わっていたのである。

「僕の中では最低のシーズンだったと思います」

［特別インタビュー］イチロー「この道の彼方に」Sports Graphic Number 640/NOV 2005

5年連続200安打を達成した2005年。しかし、イチローは206安打、打率・303という、メジャーでは自己ワーストの数字を並べてしまった。しかもマリナーズは2年連続の最下位に沈み、チームを包む空気も澱んでいた。光の欠片《かけら》も見えなかった、最悪のシーズン。チームのためなのか、それとも自分のためなのか。イチローの心は幾度となく、乱れた。それでも、イチローはきちんと自分自身の言葉でつらい一年を振り返った。

イチローは、怒っていたのだろうか。

デーゲームの試合前。イチローは一人、グラウンドを走っていた。そして次の準備に取りかかるために、ベンチ裏からクラブハウスに通じる階段を、無言で駆け上がっていった。

２００５年10月２日、シアトル。

１試合を残して、69勝92敗。一つ上のレンジャーズにさえ10ゲームも離されてア・リーグ西地区の最下位が決まっていたマリナーズは、２年続けて屈辱のシーズンを終えようとしていた。今シーズンの最終戦、午後１時開始のアスレチックス戦は、ともにプレイオフには進まないチーム同士の消化試合。それでも、セーフコ・フィールドには３万５３００人の観客が集まっていた。イチローは、デーゲームの時は必ずそうするように、慌ただしく試合前の準備をこなしていた。

しかし、他の選手はそうではなかった。

マイナーから上がってきたばかりの選手が多いチームだというのに、９月に入るとオフまであと何日だと指折り数え始める選手がいた。試合前のクラブハウスでカードゲームにばかり興じている選手もいた。最終戦の試合前はロッカーの荷造りに追われる選手があちこちにいた。個人的な目標もなく、漫然と試合をこなしている選手がほとんどだった。

そんなクラブハウスの雰囲気が、イチローには許せなかったのかもしれない。まずはあの最終戦のことから振り返ってもらった。

「あの試合がどういう意味を持っているのかを考えていた人はいたんでしょうか。オープニングデーには感じられないものが、あの日の試合にはいっぱいあったはずなのに……」

春の匂いに包まれた開幕の日。選手は自分やチームに期待し、ファンは胸を躍らせて球場へやってくる。普段は、ろくに準備をしない選手でもその日はテンションが高くなって準備をしたりするものだ。しかし、秋の空気が冷たく感じるシーズン最終戦は、何もかもが違っている。プレイオフ進出への望みは絶たれ、タイトルに絡む選手もいない。そんな試合でも、ファンは球場へやってくる。

「あの試合は、僕らが選手としての価値を示すべき場だったと思うし、みんなの野球に対する気持ちが一番、表れる試合だったと思うんです。選手が志すもの、野球に対する気持ち、ファンに対する思い、自分に対するプライド、そういうものがすべて凝縮される一日だった。でも、僕はそういう気持ちを誰からも感じられなかったし、それを見ようとする監督もコーチもいなかった。ただ、淡々と試合が進んでいくだけで……本当はこんな話はしたくないんです。でも、これは聞かれればきちんと答えなくてはいけないと思いました。最下位のチームのために、お金を払って球場に来てくれているファンがいましたからね。だからこそ僕はいいプレーをしたかったし、それができなかったことがものすごく悔しかったんです」

3対3の同点で迎えた8回表。イチローの背後へ前へ、そして右へ左へ5本の長短打が飛び交って、マリナーズはあっという間に5点を失い、試合は決した。その裏の打席、イチローは緩いカーブを空振りして三振。

2005年のシーズンが終わった。

マリナーズは69勝93敗で、地区最下位。

イチローは679打数206安打。ホームラン15本、打点68、盗塁33、得点111。打率・303は、ア・リーグの11位だった。

「えっ、僕の上には10人ですか。僕の感覚では20人くらいいるのかなと思ってましたけど。200本のヒットを打った選手は何人いたんですか……3人？　ジーター（ヤンキース）が202本ってことは、僕は2番目ってことか（最多安打はレンジャーズのマイケル・ヤングの221本）。その事実には、ちょっと救われますね。もちろん、おもしろくなかったし、本当に苦しいシーズンでした。今までこんなに『なんでヒットが出ないんだ』って思ったことはなかったし、ヒットを積み重ねていく感覚も明らかに少なかった。僕の中では最低のシーズンだったと思います。それでも人と比較すると2番目だったというのは、悪い気はしないですよ（苦笑）」

昨年、262安打を放ったフォームを『無敵だ』と表現したイチローが、今年の春、陥った落とし穴。上半身の形が極端に変わったため、下半身への意識が疎かになってズレが生じてしまっていた。そのため、始動を意識的に早めた修正を6月8日のマーリンズ戦から始めたイチローは、それを7月4日、カンザスシティでの第4打席までではぼ終わらせている。ロイヤルズの右腕、マイク・ウッドの高めに浮いたスライダーをライト前に弾き返した瞬間、『そろそろ大丈夫かな』という手応えをつかんでいたのだ。

「動き出しのタイミングが遅かったということを知ったとき、これで野球がもっと簡単になるんじゃないかとさえ思いました。僕、技術はひょっとしたらもう終わってるんじゃないかと思っているんです。とりあえず、今の僕に先は見えないし、探し物もない。ということは、ここが終わりかもしれないし、もちろん終わりじゃないかもしれない。ただ、バッティングは技術だけではどうしようもないっていうことを、今年は思い知らされましたね。技術だけでは一年間、ヒットを打つことはできない。技術以外のところで完全にバランスを崩してしまったわけですから……もう滅茶苦茶、心が乱れたし、体もね、心の乱れからフィジカル面を崩してしまう可能性もあると感じましたね」

心の乱れ——その言葉が何を指すのか、おおよそ想像はついた。今年のマリナーズがチームとしてどんな野球を目指すのか、そこをイチローとベンチは最後まで共有できなかった。それがイチローの心を乱していた。

　きっかけは、低迷が続いた時期のチーム・ミーティングだった。『苦しいときほど、チームのためにがんばってくれ』というマイク・ハーグローブ監督の言葉を聞いて、イチローは『苦しいときほど、自分のためにやるべきではないのか』と疑問を感じていた。

　イチローの言う『自分のために』という言葉には、チームは低迷していても、そこまで選手としてできることはすべてやっている、という前提がある。すべてやってきて、それでも勝てないのに、チームのためを考えたからといってできることが増えるわけではないと考えるイチローは、だからこそ、今まで以上に自分の役割を果たすことに徹するべきだ、と言いたかった。

「強いチームというのは、個人があってチームがあると思うんです。個々が持っている力を発揮して、役割を果たして、それが結果としてチームとしての力となる。でも、弱いチームはそうではない。個人の力が発揮されない、だから勝てない、チームのためにという言葉でごまかして個人の力を発揮できないことへの言い訳を探す、そうしたらもっと勝てなくなる……悪循環ですよね」

　イチローは、シーズン中に何度かハーグローブと話し合った。監督はそのたびに『イチローの言うことは理解できる』と口にした。しかし、理解していると言われてしまうと、それ以上、意見をぶつけあうことができなくなる。それがイチローをいっそう苛立たせた。

イチローが試合中、決まって座っているベンチの位置は、監督のすぐ傍らである。これは、試合中、監督がどんなことを言っているか、どういうことに反応しているのかを直に感じ取るためだった。ルー・ピネラやボブ・メルビンのときも、ずっとここに座って、監督がどんな野球を目指すのか、肌で感じようとしてきた。ところが今シーズンは、ハーグローブが何を考えているのか、イチローには最後までどうしても理解できなかった。

こんなこともあった。

8月8日のツインズ戦でのことだ。相手の先発は、ムービング・ファストボールを自在に操るカルロス・シルバ。今シーズン、188イニング1／3を投げて与えたフォアボールがたったの9個という、とんでもなくコントロールのいいピッチャーである。そのシルバに対して、ハーグローブは試合の途中、突然『初球を見送れ』と指示を出した。3回までの打者10人のうち、初球を打ってアウトになったのが4人、2球目を打ったのも4人という淡泊な攻撃を嫌い、少しでも球数を投げさせようとしたのである。

しかし、イチローはその指示を知らなかった。ちょうどそのとき、クラブハウスで着替えをしていたため、監督の指示を聞くことができなかったのだ。そして、イチローはそのあとの打席で、シルバの初球を打って出て、ライトフライに倒れた。ハーグローブはすぐさまベンチに戻ったイチローを呼んで、初球打ちを咎めた。

「僕も含めて、初球を打ってアウトになったのが何人か続いたんで、それが気になったんでしょう。でも、だからといって初球を見逃したところで、球数がちょっと増えるだけのことなんですけどね。あれだけガンガン、ストライクを取ってくるピッチャーに対して、初球から打って行けというならともかく、見送っていてはとてもペースを崩すことはできません。それをアウトになっているから見逃せって消極的なことを言われたら、逆にどんどん追い込まれてしまうし、調子に乗せてしまうだけじゃないですか。ガンガン来る、それをガンガン打っていく。そこでお互い、考える。それが積極的な作戦だと思いますよ。しかも、僕のバッティングスタイルから言えば、とんでもないボール球だと思っても振ることがありますからね。それは、そのボールが自分にとってのストライクだと感じるからであって、僕の持ち味でもあるんです」

それ以来、イチローは見えない鎖に縛られてしまったように見えた。監督が初球を打ってアウトになるのが嫌いだと知ってしまったら、当然、初球は打ちづらくなる。その日だけではない。次の日も、その次の日もそれがトラウマになる。初球に対するポジティブな姿勢が失われてしまい、持ち味は殺される。

象徴的な数字があった。イチローの初球を打った打率の変遷である。

'01年　95打数42安打　・442
'02年　93打数39安打　・419

'03年　１０２打数39安打　・３８２
'04年　１１４打数52安打　・４５６

そして、今シーズン。イチローの初球打ちの結果は、65打数13安打、打率はなんと・２００。過去４年と比べれば、打率の落ち込みもさることながら、アットバットの数が著しく減っていることが見て取れる。いかに初球を打ちに行けなかったか……イチローのもがき苦しむ姿が浮かんでくる。初球から、積極果敢にヒットを打ちにいくことこそが、イチローの真骨頂だったはずなのに、〝チームのために初球を打ってはいけない〟というイチローにはあり得なかったロジックが、彼の中に迷いをもたらしてしまったのである。

「気持ちよく野球をするためには、環境もすごく大事なんですね。選手って、環境によって思いもしないいやる気が漲《みなぎ》ってきたり、とんでもない力が生まれてきたりするものじゃないですか。常に自分の中からモチベーションを上げていかなくてはいけないということはこれまでも思ってきましたが、今年はその難しさを感じました。今までのどんな挑戦よりも難しい挑戦だったような気がします。自分の弱さを知ったシーズンでもありました」

どんなに苦しいシーズンでも、最後には胸を張って『この数字が自分のすべて』と振り返ってきたイチローが、今年初めて、ロッカーの前でうなだれて、先の見えない絶望感とともにシーズンを振り返った。そのせいで、イチローとハーグローブには野球観の違いがあったと報じられたりもした。勝つことにこだわる監督と、ファンを楽しませることを意識するイチローとの違いだ、というふうに括られたりしていたが、それは的を射ていない。

「もちろん、僕だって勝ちたい。でも、大切なのはチームが負けたからといってモチベーションを失ってはいけないということなんです。あんなに負けているのに、こんなにたくさんのお客さんが来てくれているのはなぜだろうと疑問に思えるかどうかは、それぞれの感性でしょう。お客さんは最後に勝つ瞬間だけ見に来ているわけじゃない。自分たちにはとてもできないことをやってもらいたいと思うからこそ、見に来てくれる。そのために、チームが勝とうと負けようと、最後の試合までしっかり準備して、最高のプレーを見せる。マリナーズにはこんな当たり前のことが当たり前にできるチームであって欲しいんです。そういうチームなら、勝つことも負けることも受け入れられるはずだと思いますから」

　このままでは、シアトルが可能性のないチームになり下がってしまう。そして、イチロー自身、自ら築き上げてきたバッティングスタイルを崩されてしまう。どれほど技術を磨いても、どれほど肉体を研ぎ澄ましても、それが心の乱れによって崩れてしまうことを思い知ったイチローの気持ちが、今のままで晴れることはあり得ない。シアトルでプレーすることを望んでいることに変わりはないが、それでも彼が今、かつてなかったほどに追いつめられていることだけは間違いない。

それは、今シーズンのマリナーズが最下位に終わったからでもなく、今シーズンのイチローが5年間の中でヒットの数がもっとも少なかったからでもない。このオフから来シーズンにかけて、決して頭から消し去ることのできない重石を抱えたまま、オフを過ごさなければならないからだった。

「僕は、心地いい刺激が欲しいんです。常にそれを求めているんですよね……でも、まず僕自身がそういう存在にならなきゃね」

いろいろな想いを胸にそう呟いたイチローに、返す言葉が見つからなかった。

2005年成績　162試合　679打数（リーグ1位）206安打　15本塁打　68打点　打率・303　33盗塁　ゴールドグラブ賞　オールスター選出

III
栄光

2006-2007

「獲りにいって獲った世界一ですから」

［独占インタビュー］イチロー「僕はいま、イチローを超えた」Sports Graphic Number 650/APR 2006

イチローと王貞治が抱き合った。その時、風がイタズラをして、イチローが手にしていた日の丸が、二人のことをふわっと包み込んだ。日本がWBCを制覇した直後の、あまりにも出来すぎた光景――世界一の歓喜の渦に包まれたイチローはその翌日、いつもの時間が流れる静かな場所に戻っていた。そして、熱い言葉と頼れる背中で日本を牽引した激闘の日々を淡々と語り始めた。イチローはなぜこれほど日本のことを想って戦ったのだろう。

世界一のシャンパンに酔いしれた翌日。

サンディエゴからアリゾナにある自宅へ戻ったイチローを待っていたのは、妻の弓子さんが用意していた世界一を祝うケーキと、とっておきのワインだった。

「昨日は、どれくらいの人が見ててくれたのかなぁ、テレビで……」

その数字が瞬間的に56％にまで達していたと聞いて、イチローは嬉しそうに笑った。

和やかな空気が漂っていた。

特製のケースに収められた金メダルが台の上に置かれていた。その傍らに、もう使うことのない選手用のＩＤカードが置いてある。

満足感と、解放感――。

スーツケースの上には、決勝戦で着たジャパンのビジター用のユニフォームがかけられていた。グレーのズボンの左ヒザには、ホームに滑り込んだとき、キューバのキャッチャーがつけていた青いレガースと激突したことを示す青い色がこびりついていた。

まさに、激戦の痕《あと》だった。

イチローに改めて、前夜のどの瞬間が浮かんでくるかと訊ねたら、彼は「どのシーンも出てくるなぁ」と言いながら記憶の中に刻まれた歓喜のシーンを巻き戻し始めた。やがて、イチローはライトのポジションから目に焼き付けたある光景のことを話し始めた。

「最初に浮かんでくるのは、最後、大塚さんが三振を取った瞬間ですね。みんなが喜んでる姿が、なんだか子どもの集まりに見えましたよ。一つの結果に対して、大の大人が恥ずかし気もなくあんなに喜んで……僕もそうだったんでしょうけど（笑）。そういうのって、年齢を重ねれば重ねるほど失っていくものじゃないですか。恥ずかしくてできないっていうのはまだいいですよ。本当になくしてしまう人って結構いると思いますし、だからこそスポーツっていいなと思うんでしょう」

ゲームセットの瞬間、イチローは拳を握りしめた。そして、1時間近くも続いた歓喜のグラウンドから姿を消す直前、彼は両手で指揮者のマネをしてスタンドからのイチローコールを盛り上げてみせた。その間、仲間と抱き合い、世界の王を胴上げして、メダルをかけてもらい、日の丸を手に高々と掲げた。

「終わったあとの日の丸は、僕が持つしか絵にならないだろうと思っていたので（笑）、願ったり叶ったりでした。監督は、重かったですねぇ……僕は、世界の王選手を世界の王監督にしたかった。それがすべての始まりでしたから、その充足感はありましたよ」

日の丸を手にしたまま、王監督のもとへ歩み寄ったイチロー。その時、風がイタズラをして、二人を日の丸がふわっと包み込んだ。ほんの一瞬、日の丸に包まれた中で、イチローはすべてが報われる言葉を耳にした。

『ありがとう、君のおかげだ』

「最後にそう言ってもらったことが僕は何よりも嬉しかったんです。日本であれほどのスーパースターでありながら、それでも選手を立ててくれる。本当に凄いと思いました」

君のおかげだ――。

この一言で、すべてが報われた気がした。そう思うのも無理はないほどに、イチローはこの1カ月、重荷を背負っていた。


あれは、2月9日の夜のことだった。

神戸の街を歩くイチローが、足を引きずっていた。両足のふくらはぎがパンパンに張って、歩くこともままならない。予定外の練習でつい熱くなってしまったことが原因だったのだが、イチローのそんな姿を見るのは初めてだったので正直、驚いた。福岡でイチローがノドを潰してしまったときも、かすれた声に仰天した。張り切って声を出しすぎたからだとイチローは説明していたが、部屋の乾燥と蓄積した疲れが大きな要因となっていたことは明らかだった。韓国戦に二度目の敗退を喫した翌日は、あまりの悔しさに腹から声を出しすぎて腹筋が痛いとこぼしていた。

イチローは、ボロボロになって戦っていた。そうまでして彼がこの舞台に賭けたのは、いったいなぜだったのだろうか。

2月21日、福岡合宿の初日。イチローは、1カ月をともにする29人と初めて顔を合わせた。短期間でチームを成熟させる。しかもその中心には否応なく自らを置かなければならない。

「僕もイヤな年代に入ってきたんですね」とイチローは苦笑いを浮かべていた。

「もちろん、戸惑いはありましたよ。最初はみんなとの距離が難しかったし、空気もね。誰かと車で二人きりになったとき、会話をしなきゃと思う空気ってあるでしょ。要はそういう難しさですよ。本当にいい関係ができていれば会話をしなくてもストレスを感じないはずだし、会話をして楽しいというんじゃなくて、会話をしなくても心地いいというのが一番いい関係だと僕は思ってますから、最初の頃の、どうしようって思わされる空気は……いやぁ、厳しかったですね」

福岡での1週間、イチローは何人かの選手と食事をして、その距離を縮めようとした。しかしこの頃はまだ、チームが一つにまとまっていく実感を抱くことはできなかった。

「どうしようもないですよ。練習では限界がありましたし、本番のゲームでしか縮まらないものなんだと思いました。それは、しょうがないですね」

否応なくイチローが主語になってしまうチームで、他の選手たちもそれぞれの距離をどういうふうにとったらいいのか、様子を窺っているようなところがあった。

さらにイチローにとって辛かったのは、1次リーグで思うような結果を残せなかったことだった。日本のチームと4試合戦った練習試合では16打数3安打、・188、1次リーグの3試合でも13打数3安打の・231。メジャーのピッチャーはほとんどが「1、2、3」のタイミングで投げてくる。ところが、アジアのピッチャーは「1、2、の、3」のタイミングで投げてくる。しかも、たとえば中国あたりのプロとは言えないレベルのピッチャーが相手だと、速すぎるくらいでちょうどいい反応ができてしまうイチローにとっては完全にタイミングがズレてしまう。

「いや、ズレてないからああなっちゃったんでしょう（笑）。あれに合ってしまうようでは、その後のアメリカでかなり苦労したと思います。ズレないままのタイミングで打てていたから、結果は出ませんでしたけど、とりあえず普通の状態を保つことはできました」

期待が大きい分、結果が出なければ失望感も大きくなってしまう。ましてチームを一人で鼓舞してきた福岡からの流れは、イチローに、当然のごとく結果を求めた。それは、距離感を測りかねていた選手たちにとっても同じだったはずだ。だからこそ、結果が出ないことがチームを引っ張っていく上での障害にもなりかねない。それでもイチローは、胸を張っていた。堂々と振る舞っていた。

「あのときの僕を支えていたのは、自分のやってきたことへのプライドと、これからやろうとしていることへの自信でした。ゲームが始まってからは、僕は無理して話しかけたりするようなことはしてません。その後は必要だと思うことをみんなの前で話しただけです。そのあたりは谷繁さんと宮本さんに助けられましたね。特に宮本さんはチームの中のことをよく見てくれて、タイミングを見計らって僕の耳元で囁いてくれるんです。気持ちがまとまってないから締めた方がいいんじゃないか、お前から言った方がいいんじゃないかって」

1次リーグの3戦目。韓国に逆転負けを喫しての、A組2位通過。モヤモヤした不安を残したまま、イチローはアメリカへと旅立った。

しかし、渡米してからも、選手たちの温度差を縮めることはなかなかできなかった。アリゾナにある韓国料理の店で選手たちが食事をしていることも、実はイチローには理解できなかった。

「だって、東京で韓国にああやって負けて、その悔しさを持ったまま次に戦うことがわかってるわけですからね。そういうときに、コリアン・バーベキューの店には意地でも行かないという気概が欲しいじゃないですか」

アリゾナでは、ホテルにチェックインする際に部屋が足りなかったり、ユニフォームを忘れる選手がいたり、チームの中からは、まだ混乱と覇気のなさが伝わってきていた。

「ホントのところを言えば、アリゾナに着いた頃にはみんなの中に自分たちが勝っていくんだという自信があったとは思えませんでした。アリゾナで、メジャーのチームとオープン戦を3試合やりましたけど、あのときはさすがに怖くなりました。だって試合に出てるのはほとんどマイナーリーガーなのに、みんなビックリしてましたから……これはヤバいなと思いましたよ。本番で戦うチームにはテレビでしか見たことのないメジャーリーガーがバンバン出てくるわけでしょ。アナハイムでアメリカと戦う試合前も、相手のバッティング練習をまだ一ファンとして見ていましたからね。とてもこれからコイツらと戦うんだという雰囲気ではなかった。近くで見たっていいのに、みんなでまとまって遠くで見ていて、誰も近づかない。そんな中でも自分たちの野球ができるかどうか。そこのところの自信は最初はみんなにはなかったと僕は思ってるし、でも、何かをきっかけにグッと自信を持つのも確かなんです」

だからこそ、メジャーリーガーのトップに君臨し続けるイチローは、アメリカ戦の第1打席にすべてを賭けた。その背中を、仲間たちが見てくれていると信じて——。

「ピービーの2球目、外に決まったストライク。あのコースでは無理でしたけど、内側に入ってきたら狙ってやろうと思ってました」

3球目、イチローの思惑通り、内側に来たボールを完璧に捉えての、先頭打者ホームラン。アメリカのエース、パドレスのジェイク・ピービーから放ったこの一本は、ジャパンの選手たちを間違いなく、勇気づけた。

「アメリカに来て僕の動きは本来のものになりましたけど、日本でやっているときには、みんなの中にもどうなのかなぁっていうのがあったと思うんですよ。でもあのホームランで、アメリカでの僕はやるんだと感じてくれた人がいたと思います。その気持ちがチームに行けるという気持ちを生み出してくれるものだと僕は思ってたので、あのホームランはメチャメチャ気持ちよかったし、大きな一本でした。僕にはそれだけ背負ってるものがありましたから……」

結局は理解不能な判定問題の挙げ句、アメリカにサヨナラ負けを喫した試合後。イチローは選手たちの変化を肌で感じ取っていた。

「みんな、やれたはずだと思ってましたね。背中が違って見えましたから。最初に3点取ってイケるかもしれないという自信が湧いてくると、こんなに変わるものかと思うくらい、チームは変わっていった。あれだけのメンバーを揃えたアメリカに勝つということはものすごく大きなことなんです。それこそ、歴史の一歩ですよ。メジャーリーグという最高の舞台に憧れ続けて、とてもかなわないと思っていた相手と戦えた……あの試合は負けてしまいましたけど、アメリカとあれだけのゲームをやれたことが、その後の僕らのゲームのすべてを作ってくれたんだと思います」

イチローはこの大会中、感情の赴くままに喜怒哀楽を表現した。チームを鼓舞するために、理性を解き放ち、本能に任せた結果だった。その姿に驚いた周囲は、そんな感情的な姿を〝イチローの変貌〟と表現した。

「変わったんじゃなくて、表現するようになった、ということです。内側に持っているものをマリナーズのユニフォームを着ているときは抑えられたけど、ジャパンのユニフォームでは抑えられなかった。なにしろ、王監督に恥をかかせられないとまで言ってしまいましたから（笑）、そのプレッシャーは大変なものでしたよ。重荷を背負おうとする自分がいたのは、自分に自信があるからじゃないですか。自分の内面を出していくって、そういうことだと思いますよ。自分のことを隠そうとしたり、本当のことを言われたときにそれを否定したくなる気持ちっていうのは、自信のなさの表れでしょう。本当の自分を出していいと思えるのは、恐らくイチローという選手を上回る鈴木一朗が、それだけの自信を持っていたからじゃないですか」

一昨年のオフから、彼は「イチローは、別人だ」と言い出すようになった。イチローは、鈴木一朗の一部に過ぎないというのである。12年前、鮮烈に世の中へ飛び出したイチローは、いつしか一人歩きを始め、一朗の遥か前を走っていってしまった。しかしメジャーで3年の実績を残し、4年目にジョージ・シスラーの記録を超えて、自信を抱いたのは、むしろ鈴木一朗の方だったのかもしれない。

「イチローと鈴木一朗は分離したんです。イチローに作品を作らせているという感覚かな。僕は、イチローとして何かを作り上げようとしたり、何かを伝えようとしているのかもしれません。その前はイチローが鈴木一朗よりもだいぶ先を走ってましたから、そこに追いつけなかった。でも、今は完全に追い抜いている。彼は僕の一部ですよ（笑）」

イチローがドラマに出演したのはこのオフだが、出演をOKしたのはさらに1年前のオフだ。イチローが変貌したというなら、それはWBCや日の丸ではなく、むしろシスラーの記録を塗り替えた一昨年のオフに抱いた自信や価値観がきっかけになっていたはずだ。

「この時期にWBCがあったというのは運命ですし、出ると決めたのも僕の宿命なんです」

ジャパンのユニフォームを身に纏ったイチローは、メディアの前で、あるいは選手たちの前で、あえて強い言葉を発してきた。

「そうやって発言することで、自分にプレッシャーをかけてきたんです。そこに向かっていくことで僕自身の気持ちを高めていこうと思ったし、モチベーションを上げていった。生きてる間には、そうやって重荷を背負わなきゃいけないときが来ると思っていましたからね。今がその時期だと判断したんです。どんな形で日本の野球に対して返していけるかということは考えなければいけないと思っていましたし、アメリカに行きっぱなしでは終われない。だから今日、結果として目指したことを実現した、その満足度は大きいですよ。僕の中ではベストを尽くしますと言って結果的にそうなったという世界一ではなく、獲りにいって獲った世界一ですから……」

個人として何かを成し遂げる強さと、チームとして何かを成し遂げる強さは、似て非なるものなのかもしれない。世界一を目指して初めて、イチローはその難しさを痛感した。

「難しかったのは一つだけですよ。見た目にもチームの中心になるということは今まで意識して僕がしてこなかったことでしたから、それは新しいチャレンジでした。でも選手がみんな反応してくれましたからね。なかにはシーズンの調整だと思って入ってきたヤツもいただろうし、仕方なく来たヤツも最初はいたかもしれない。でも、最後はそうじゃなかった。本当に、みんながこの戦いにすべてを捧げてくれました。そこに冷めた選手やスタッフがいたら辛かったかもしれませんが、そんな人は一人もいなかった。途中から来た久保田や馬原だって、イヤな顔一つしないでチームに入ってきてくれましたから。今回、僕らは、この大会とシーズンの両方をこなすことが求められました。その運命を、何かに試されていると思った人もいただろうし、何かに向かっていきたいと思って受け止めた人もいたかもしれません。いずれにしても、ここに来たメンバーは全員、ＷＢＣもシーズンも両方やれる自信のある人だけが集まったんですよ。ＷＢＣに巡り会ったことは運命で、その運命を受け入れた自分がいたとしたら、このあとのシーズンがどうなろうと、それも含めて自分自身の力だと思える選手たちが集まった。だからこそ、これだけいいチームになれたんだと思います。3つの負けを乗り越えて、このチームは完全に一つになりましたね」

韓国に二度目の負けを喫して、屈辱にまみれた翌日。アメリカ戦の結果を待つしかなかったイチローが、ロサンゼルスのロデオドライブで買ったという腕時計の、明るい水色のベルトが、ひときわ光を放っていた。

「何かを呼び込むかもしれないでしょ。いじいじしてるよりも、思い切り遊んだ方が、運を呼び込んでいい方に回って行くんじゃないかっていう……あれはすごく明るい水色でしたからね。ビックリしましたよ、アッチャーって（笑）。あれは呼んでましたよ、僕を。あれから始まりましたから、すべてがね」

街頭テレビの前で、野球に燃えた日本人。王ジャパンは、WBCで、昭和の野球熱を再現してくれた。その中心にいたイチローが、ストッキングを出したクラシックなスタイルでプレーしていたというのもおもしろい。

「ジャパンのユニフォームを見る前から、自分の中でイメージしていたんですけど、それがクラシックなスタイルだったんです。僕の中で、日の丸を背負うというのは日本の心を持って臨むということだと思っていましたし、意識の中から薄まっていく大事なものを思い返したいという気持ちはあったかもしれません。それがあのスタイルであり、日の丸の重さだったんじゃないかと思います」

11月21日の夜。イチローは王監督に電話をして、ＷＢＣへの出場の意志を伝えた。

「それを聞いて、ホッとしたよ」

「こちらこそ、光栄です」

この瞬間から、世界にその名を知らしめた二人は、日の丸の重みを分かち合うことになった。

それから１１９日後――イチローの一途な想いは結実したのである。

「日本のこと、大好きです」

【WBC密着ドキュメント】「イチロー　日の丸に恋した男」文藝春秋2006年5月号

「野球人生、最大の屈辱」だと、イチローが呻《うめ》いた。WBCの二次リーグで韓国に敗れ、決勝トーナメント進出が絶望的となった日本は、崖っぷちからよもやの奇跡を起こして息を吹き返した。世界一を勝ち取ったグラウンドで、イチローは王貞治監督に、そして亡き仰木彬監督に、感謝の念を抱いていた。監督のために、自分のために、日の丸のために——メジャーに舞台を移してからのイチローは、日本への想いを強くしていたのである。

まだ、余韻が残っていた。

イチローの目つきは、驚くほどに鋭かった。キッと正面を見据えたまま、しばらく動かない。それも、目の前にあるものを見ているのではなく、射抜いた先にある何かを見ているような、心ここにあらずの視線。やがて、イチローはハッキリした強い口調で、こう言った。

「……シマアジ、お願いします」

なんだ、やっぱり鮨のことを考えていたのか。それにしても、次に何を頼むかを考えるのに、そんな厳しい目をしなくても——。

WBC（ワールド・ベースボール・クラシック）準決勝で、韓国を撃破した夜。

サンディエゴにある鮨店のカウンターに座ったイチローは、やけに刺々しかった。試合後には決まってリラックスしているイチローにしては、珍しい姿だった。おそらくは、まだゲームの興奮が体の中に残っていたのだろう。ライトを守っているときも、何度も右へ左へ行ったり来たりしていた。これもシーズン中にはあまり見られない仕草だった。

「さすがに今日は草食じゃなかったね」そう声をかけると、イチローは当然といった感じでこう言った。

「そりゃ、そうでしょう。今日は感情に任せて、自分が思うままにプレーしましたからね。バリバリ、肉食でしたよ」

イチローと、以前にそんな話をしたことがあった。彼の本能はもともと、肉食動物のそれに近い。しかし普段は、そういう荒々しさを表に出すことなく、草食動物のように優雅でしなやかなプレーをするイメージを理想としている。

「草食と言ってもシマウマやキリンじゃないですよ。インパラなんかいいじゃないですか。角が優雅だし、あの跳び方なんかしなやかだしね。肉食もライオンやトラじゃなくて、チーター。インパラのように見えて、実はチーターだったというのが理想かな（笑）」

しかし、日の丸を背負ったイチローは肉食動物そのものだった。草食動物のふりなど、貫くことはできなかった。声を荒らげ、貪欲に動き、オーラを発した。あらゆる状況に五感を総動員し、すべての動きを研ぎ澄ました。とりわけこの日のイチローは、殺気立っていた。

三月十八日。

サンディエゴは朝から青空が出て陽射しは暖かかったものの、頬を刺す風が冷たく、ナイトゲームではかなり寒くなることが予想されていた。

準決勝の韓国戦を控え、イチローはいつものようにチームメイトよりも早く、ホテルを出た。ペトコ・パークまでには、車を走らせれば二、三分の距離だ。しかし球場周辺のあちこちで工事が行われ、道路は規制だらけ。しかも日本代表のゲームはこの日の第二試合で、イチローの球場入りの時間がちょうど第一試合のドミニカ対キューバ戦とぶつかってしまったこともあって、イチローを乗せた車はまったく動かなくなってしまった。

あまりの渋滞に苛ついたイチローは車を降り、球場まで歩いていくことにした。否応なく、イチローのテンションは上がっていた。

球場に着いたイチローを待っていたのは、打順の変更だった。


三番、イチロー。

日本代表を率いる王貞治監督は、ずっとイチローの一番、松中信彦の四番だけは動かさないと言い続けてきた。それは世界でナンバーワンのトップバッターであるイチローと、日本でナンバーワンの四番バッターである松中のプライドを尊重していたからだった。しかし大一番を前に、王監督は決断した。

「今日は三番で行くからな」

監督から直々にそう告げられたイチローは「わかりました」とだけ言って、三番に入ることを受け入れた。

「監督は、そう言えば僕がその意図を理解するだろうと判断したんでしょう。もちろん、そんなことは説明してもらわなくてもわかりますよ。一番と三番では状況が変わってきますから、それによって仕事も変わるということです」

イチローのアドレナリンがいかに激しく噴き出ていたかは、ゲームが始まってすぐに見て取れた。

初回、イチローはツーアウトからライト前ヒットを放った。そして四番の松中への初球、いきなり二塁への盗塁を決める。一番バッターとしてノーアウトで出塁した場合は後続のバッターとの呼吸を合わせながらじっくり盗塁のタイミングを窺うことが可能だが、三番としてツーアウトから出塁した場合はそうはいかない。四番バッターのカウントを悪くする前に勝負を急がなければならないからだ。これがイチローが言う「仕事が変わる」所以《ゆえん》である。そんな、はやる気持ちを抑えられない状況でも、きちんと結果を出すところがイチローの凄みだ。

第二打席でもセカンド前へ内野安打を放ち、出塁。松中への初球を投じる前に二度牽制されるなど、韓国バッテリーに警戒される中で、イチローはまたも盗塁を成功させた。後続が続かず、得点には結びつかなかったものの、イチローの興奮は、プレーから十分に伝わってきた。

そして、七回表。閉塞感を撃ち破った福留孝介の代打ツーランが飛び出した瞬間、ベンチのイチローは拳を何度も握りしめて、その喜びを表現した。

三度目にしてようやく韓国を倒し、決勝進出を決めた試合後。取材に応じるために決められた場所に現れたイチローは、そこでも興奮を隠さない。ユニフォームを着たまま、台の上に置かれたイスに座ると、取り囲む記者に対してまくしたてるように一気にしゃべり始めた。

「勝つべきチームが勝たなくてはいけないと思うし、僕らが勝つのは当然……」

そこまでを流暢に話したところで、イチローは突然、マイクを持つように求められた。気持ちいい流れを止められたイチローは、「もう一回行きましょう、もう一回、質問、お願いします」とインタビュアーにやり直しを求めた。

そこで再び「イチローさんはこの前、人生最大の屈辱と仰いましたが……」とインタビュアーが切り出すと、イチローがすかさず「〝野球人生〟最大の、です」と訂正する。笑い声が響く中、イチローだけが笑わなかった。かといって、怒っていたわけではない。まだ体の芯に残っている、はち切れんばかりの充実感と高揚感に満ち溢れていたのだろう。

興奮は、イチローの体の芯に残っていた。それは取材を終えて、シャワーを浴びて着替え、さらに球場から車で十五分ほどの距離にある鮨店に着いてからも、なかなか消えることはなかったのだ。

そもそもは、準決勝に残れたことが奇跡だった。

日本は、二次リーグでメキシコには勝ったものの、アメリカと韓国に敗れ、一勝二敗。三戦全勝の韓国がいち早く準決勝進出を決め、残る枠は一つ。アメリカがメキシコに勝てば、二勝一敗ですんなり準決勝進出を決めるはずだった。

三月十五日、アナハイム。

日本が韓国に二度目の敗北を喫した、試合後。球場の通路で報道陣に囲まれたイチローは沈痛な表情でこう言った。

「僕の野球人生でもっとも屈辱的な日ですね……」

準決勝進出への可能性が、翌日のアメリカ戦の結果次第で残されていると聞かされ、どんな気持ちでサンディエゴに向かうかと訊ねられたイチローは、「向かっているときはまだわからないですし、僕らのできることは今はもうないですから」と、力なく答えた。力強さを失うことのないイチローの目の光が、このときばかりは弱っているように見えた。

確かに、できることはもうなかった。選手の声を拾うために集まっていた報道陣も、ごく一部、アメリカ対メキシコ戦がどうなったら日本が準決勝に残るのか、その計算をしていた記者がいたものの、大半は日本の敗因を語り、各々の帰国予定を聞いたりしていた。

その場を支配していたのは、まさに終戦ムード、そのものだった。

三月十六日。

アメリカとメキシコの試合が、アナハイムで行われた。メジャー・リーグのスーパースターを揃えたアメリカの先発は、ロジャー・クレメンス。四十二歳でサイ・ヤング賞に輝き、四十三歳になった昨シーズン、一・八七という数字で最優秀防御率のタイトルを獲得した、通算三百四十一勝の右腕である。

スターティング・ラインアップには、ヤンキースのデレク・ジーター、アレックス・ロドリゲス、レッズのケン・グリフィー・ジュニアら、メジャーのスーパースターが並ぶ。メキシコの勝利を信じるには、アメリカのメンバーはあまりに豪華すぎた。

試合開始は、午後四時半。

メキシコが三回に一点を先制、四回にアメリカが追いつき、五回にはメキシコが二対一と勝ち越した。日本対アメリカの試合で西岡剛のタッチアップが早すぎたという〝誤審〟をしたボブ・デビッドソンが、この日もメキシコの選手のホームランを二塁打と判定。メキシコの選手たちが怒りを顕わにし、騒然とした雰囲気の中、試合は二対一とメキシコがリードしたまま、終盤に差し掛かっていた。

そのとき、すでにサンディエゴに入っていた日本代表の王監督は、市内の中華料理店で番記者との食事会を開いていた。ＭＶＰに輝くことになる松坂大輔は、テレビのない店で食事をしながら知人の携帯に電話をかけて、途中経過を聞きながら「あぁ、ドキドキしてきた、こんなにドキドキするのは生まれて初めてです」と興奮を抑え切れずにいた。

あり得ないはずのことが、現実となりつつあった。

イチローは、サンディエゴに向かう車の中にいた。

一緒にいたスタッフが、携帯で試合の速報を確認していたため、メキシコがリードしていることは知っていた。できることはもうないと口にしたイチローだったが、二つのことに希望を託していた。

一つは、メキシコへの期待だった。

「アメリカの選手たちばかりがメジャー、メジャーと言われますが、メキシコにもメジャーの選手はたくさんいましたからね。僕は彼らのプライドだけに期待をしていました」

そしてもう一つは、屈辱的な敗戦を喫した直後から、信念を貫いて行動したことだった。

イチローはこの日、チームから一人離れてロサンゼルスのロデオドライブまで買い物に出掛けた。そこで、ラッキーアイテムに出会ってしまったのである。

イチローは、妻の弓子さんに電話をかけた。買っていいかどうか、許可を得るためである。

それは明るい水色のベルトが鮮やかな、限定モデルの美しい腕時計だった。その腕時計が、奇跡を呼んでくれたのだろうか。イチローは言った。

「何かを呼び込むかもしれないでしょ。いじいじしてるよりも、思い切り遊んだ方が、運を呼び込んでいい方に回って行くんじゃないかっていう……あれにすごく明るい水色でしたからね。ビックリしましたよ、アッチャーって（笑）。あれは呼んでましたよ、僕を。あれから始まりましたから、すべてがね」

負けた夜、イチローはチームのスタッフと食事に出て、そのまま飲みに行った。そして、メチャクチャに荒れまくった。午前三時にホテルへ帰ってきて、歯も磨かないまま、ベッドカバーの上に倒れ込んで寝てしまった。

朝、目を覚ますと、コーヒーだけを飲んで、買い物に出掛けた。イチロー曰く、「何事も前向きに行動することが可能性を生むんだな」ということらしい。テレビでアメリカとメキシコのゲームを観ることだけはやめようと決めていた。

「普段、メジャー・リーグのグラウンドの上で一緒にプレーしている選手たちが失敗するのを期待しながらゲームを観るというのは、気分のいいものではないですからね」

ロサンゼルスからサンディエゴまで、フリーウェイの五号線を南へ下る。携帯で途中経過を確認してくれていたスタッフが、途中、アメリカとメキシコのゲームが放送されているかもしれないからと、ラジオのスイッチを入れようとした。しかし、イチローはそれを遮った。

「このままの流れで行きましょう、このままの流れで……」

流れを変えて、せっかく摑みかけていたツキを逃したくなかったのだ。

やがてあたりは暗くなり、サンディエゴに向かう車のヘッドライトが連なって眩《まばゆ》い光を放っていた。少し眠りかけていたイチローの携帯が突然、鳴った。

「おめでとう」

まさかの準決勝進出。

嬉しい知らせを最初にもたらしてくれたのは、弓子さんだった。

イチローがWBCへの出場を決心したのは、去年の十一月二十一日のことだった。ドラマ『古畑任三郎』の撮影を終えてアメリカに帰る直前、イチローは王監督の携帯に電話を入れた。

「よろしくお願いします」

「それを聞いて、ホッとしたよ」

「こちらこそ、光栄です」

王監督から出場の意志を確認したいという内々の打診は、九月にはイチローのもとへ届いていた。しかし、シーズン中には答えが出せなかった。WBCが本当に世界一を決める大会になるのかどうか、三月に開催されることで選手としてどのようなリスクを背負わなければならないのかといった情報を、イチローなりに集めなければならなかったからだ。

イチローの気持ちは、いたってシンプルなものだった。三年前のインタビューで、イチローはこう言っている。

「それが本当の世界一を決める舞台になるのならワールドカップでもオリンピックでも喜んで行きますよ。参加するすべての国がその期間に集中して、国のプライドをかけて戦うというのならば、もちろん出てみたい。メジャーの選手がそれぞれの国の代表として出る、そういう本当の世界一を決める舞台ならば、選ばれれば喜んで出ますよ」

野球の世界一を決めるということへのシンプルな興味に加えて、イチローはアメリカに渡ってみて初めて日本という国を意識するようになっていた。同時に、野球選手としてのイチローを育んでくれた日本の野球に何かを返したいという気持ちが芽生えてきていた。そういう時期に第一回のＷＢＣが開催され、日本代表としてその舞台に立ったことは偶然ではなかった。同時に、背負う責任の重さも十分に理解していた。

「僕は、アジアでは日本には向こう三十年は手を出せないという勝ち方をしたいと言いましたし、テレビを通じてアメリカに勝つとも言いました。正直、僕の最大の目的はアメリカに勝つことでした。それが世界一につながるものだと思っていましたから、アメリカを倒せなかったことは未だに残念です。

でもそうやって発言することで、自分にプレッシャーをかけてきたんです。そこに向かっていくことで僕自身の気持ちを高めていこうと思ったし、モチベーションを上げていった。生きてる間には、そうやって重荷を背負わなきゃいけないときが来ると思っていましたからね。今がその時期だと判断したんです。

どんな形で日本の野球に対して返していけるかということは考えなければいけないと思って

いましたし、アメリカに行きっぱなしでは終われない。だから、結果として目指したことを実現した、その満足度は大きいですよ。僕の中ではベストを尽くしますと言って結果的にそうなったという世界一ではなく、獲りにいって獲った世界一ですから……この時期にＷＢＣがあったというのは運命ですし、出ると決めたのも僕の宿命なんです」

日の丸を背負った、イチロー。

最初にそのユニフォーム姿を目にしたのは、グラウンドの上ではなかった。二月二十日、福岡合宿の直前、神戸での最後の練習のときのことだ。練習を始める前、ウエイトルームにいたイチローは、届いたばかりのジャパンのユニフォームに袖を通してみた。ユニフォームの上下を揃って身につけたのは、これが初めてのことだった。

イチローは嬉しそうに鏡の前に立って、「どうかな」とはしゃいでいた。ストッキングをヒザのすぐ下まで出すクラシックなスタイルも新鮮だ。そうしようと思いついてから、ユニフォームの丈の長さをいくつも試してみたというのも、いかにもイチローらしい。

「ジャパンのユニフォームを見る前から、自分の中でイメージしていたんですけど、それがクラシックなスタイルだったんです。僕の中で、日の丸を背負うというのは日本の心を持って臨むということだと思っていましたし、意識の中から薄まっていく大事なものを思い返したいという気持ちはあったかもしれません。それがあのスタイルであり、日の丸の重さだったんじゃないかと思います」

プロ野球選手として、勝つだけではなく、綺麗だなとか凄いなと感じてもらえるようなプレーをしたい――イチローはそう話していた。意識の中から薄まっていく大事なものというのは、そういう美意識のことを指しているのだろう。彼は「日本人はこの方が似合うと思いますよ」とも話していたが、ダボダボのパンツが流行ったり、ストッキングどころかスパイクのカカトまでが隠れてしまうような穿き方をしている選手が増え、日本のプロ野球選手のユニフォーム姿がスタイリッシュでなくなっていたことを、どこかで嘆いているように思えた。

「野球の人気ということを考えるのならば、そこで選手たちがどういう立ち振る舞いをするかというのは大事だと思います。子どもたちに対しては、勝つだけじゃなくて、カッコいいなぁと思ってもらえなければダメなんです。真摯に野球のことを考えている選手たちが集まって、それでさらに勝てれば、子どもたちが野球に向いてくれるきっかけになる可能性は十分にあると思いますからね。

そういう舞台に選ばれるのは名誉なことですし、それが世界一を決める舞台ならば出たかった。今回、僕らは、この大会とシーズンの両方をこなすことが求められました。その運命を、何かに試されていると思った人もいただろうし、何かに向かっていきたいと思って受け止めた人もいたかもしれません。

いずれにしても、ここに来たメンバーは全員、WBCもシーズンも両方やれる自信のある人だけが集まったんですよ。WBCに巡り会ったことは運命で、その運命を受け入れた自分がいたとしたら、このあとのシーズンがどうなろうと、それも含めて自分自身の力だと思える選手たちが集まった。だからこそ、これだけいいチームになれたんだと思います」

キューバに勝って優勝を決めたグラウンドの上で、イチローは選手全員とハグをした。一人一人、ハグしたかどうかを確かめるようにして、抱き合っていた。

「金城（龍彦）とはどうだったかなと思って、『おい、金城、ハグしたかな』って聞いたら、『しましたよ』って言われて（苦笑）。もともと、もし世界一になったらみんなとハグしたいというイメージは持っていましたが、本当にそうしたいと思ったのは決勝戦のグラウンドでみんなが同じ気持ちになれたからですよ。

本当に気持ちが一緒になったと感じたのは、最後の何試合かでしたから。なかなか一つにまとまりませんでしたね。最初、韓国に東京で負けた後。アメリカに負けた後。その後の韓国に負けたときもそうですよね。そういうことを乗り越えて、韓国に勝ったことが大きかった。それも、どうやって勝つかが大事でした。もちろん、ボコボコに勝つことですよ」

WBCに勝って、日本の野球が世界一になったことで、イチローは、選手として日本人に改めて伝えられたことがあったのではないかと言った。

「簡単なことですよ。それは、野球っておもしろいってこと。三時間ちょっとの中で、一球ごと、考えるために時間が止まる。だからこそ野球はおもしろいってことを感じてもらえたら、嬉しいですね」

イチローの存在は、日本の選手たちを勇気づけた。二十四歳の川﨑宗則は「言葉よりも行動が目に焼き付いている」と言った。イチローの言葉通り、「代表に選ばれた選手たちがどういう立ち振る舞いをするか」というところでいえば、イチローはファンの声援に応えるとき、決して頭を下げず、必ず手を高々と掲げる。胸を張ったまま堂々と、手を掲げる。

「スタンドを全部見て、見上げて、自分の方がファンを見ているというイメージを持つようにしています。ファンから見られているのではなくて、僕がファンを見ている。声をかけてもらって頭を下げるか、それとも胸を張って右手を上げるか。この違いは大きいですよ。手を上げた方が、ファンからすればカッコいい存在に映るんじゃないかと僕は思います」

イチローは去年の秋、日本に帰国していたとき、デパートへ買い物に出掛けてビックリしたことがあった。

「雨の日に買い物したら、買ったものにビニールかけてくれたんですよ。いやぁ、久しぶりに思い出しましたね、日本ではそうだったたって（笑）。急いでるから早くっていう鬱陶しさもあったりするんですけど、それでもああいうことをド丁寧に、時間をかけてやるんですから、すごいですよ。仕事に対する意識の高さとか控えめな態度とか、そういうところで感じるものなんですよね」

アメリカでは思うに任せないことが次々と起こる。ただでさえ言葉の違いという壁は高いのに、ホテルでのイタズラ電話に悩まされて睡眠を邪魔されたり、警察官がサインを求めに来たり、荷物が届かなかったりと、挙げればキリがない。

食事に関しても、シアトルでは弓子さんが日本にいるときとほぼ同じメニューの食卓を再現してくれているためにずいぶん助けられているが、遠征先ではナイトゲームが終わって食事に出られるのは午前〇時を過ぎることもある。そういう時は無理を言って夜遅くまで店を開けてもらったりして、一日の中で唯一のリラックスタイムを確保している。

「日常生活の中に滲み出る日本人の謙虚さとか、品格とか。アメリカに住むようになってから、日本のことがもっと好きになりましたね。日本のこと、大好きです。僕は日本人ですからね、完全に。

僕は日本の『野球』で育って、それを基盤としてこっちで『ベースボール』をやってる、そんな感覚です。『野球』というものは極めるためのもので、すごく緻密。『ベースボール』というのは気晴らしのためのもので、すごくおおらか。僕はその両方を大事にしてきましたし、両方とも大事にしなければならないものだと思います。

だから逆に野球はもっとおおらかでいいし、ベースボールはもっと緻密であって欲しい。流れに逆らいたいというのが僕の基本ですから、日本にいたときはおおらかに、アメリカでは緻密に、という方向に傾きがちですけどね（苦笑）」

日本で生まれ、日本で育ったイチローは、世界一を決めたグラウンドの上で、ふと、恩師の顔を思い浮かべていたのだという。亡き、仰木彬さんのことだ。

「胴上げが終わってまもなくしたら、仰木さんのことを考えていました」

最後に会ったのは昨年の十一月、ＷＢＣへの出場を決める直前のことだった。仰木さんは、福岡まで見舞いに訪れたイチローの顔を見て涙を流した。亡くなったのは十二月十五日。イチローが帰ってきたらうどんすきを食いに行こうと約束していた日の、わずか五日前。元気になっているとイチローが思っていた矢先の、訃報だった。

十二月十九日、イチローは帰国してすぐ、仰木さんの持っていた携帯に電話を入れてみた。もちろん、すでにこの世にいないことは承知の上で、それを実感できなかったイチローは、メモリーの中にあった恩師の番号を呼び出し、発信してみたのである。

すると、呼び出し音が鳴った。

イチローは驚いた。もちろん、運命を変えられるはずもない。電話がつながったのは、故人の携帯がそのままになっているからだろう。しかし、イチローはどこかで仰木さんが生きているのではないかという錯覚に陥った。

「監督がいなければ、今の僕はありませんから……（キューバに勝った）あの日はずっと自分の感情に任せていたんですけど、そうしたら監督の顔が自然と浮かんでたんです」

感情の赴くままに――。

イチローは変わった、と言われた。

喜怒哀楽をあからさまに表現する姿に、多くの日本人は驚いたようだった。日の丸のために戦ったWBCの八試合。イチローはダッグアウトで叫び、怒り、喜び、踊ってみせた。

しかし彼は「変わったのではなく、表現するようになっただけだ」と言った。そもそも内側に秘めていた感情が表に出ることを厭《いと》わなくなったのだという。

それはなぜだったのか。

イチローは、そうやって振る舞った理由をこう説明した。

「どうでしょうねえ……。この試合に勝った、負けたということをこれほど重く考えさせられたことはありませんでしたから。それがつまり、日の丸の重さだと思いますし、それだけ重い負けを味わったからこそ、そうやって（喜怒哀楽を）表現しようとする気持ちになれたのかもしれません。

もちろん、意図してやっていたわけではないですよ。自然なものですけど、日の丸を背負ったことで、それを抑えられなかった僕がいたということはあったでしょうね。内側に持っているものをマリナーズのユニフォームを着ているときは抑えられたけど、ジャパンのユニフォームでは抑えられなかった。なにしろ、王監督に恥をかかせられないとまで言ってしまいましたから（笑）、そのプレッシャーは大変なものでしたよ。

重荷を背負おうとする自分がいたのは、自分に自信があるからじゃないですか。自分の内面を出していくって、そういうことだと思いますよ。自分のことを隠そうとしたり、本当のことを言われたときにそれを否定したくなる気持ちっていうのは、自信のなさの表れでしょう。ただ、ダッグアウトではどれだけ表に出してもいいやと思ってましたけど、自分が打ったときには絶対にしない。それだけは貫きたいと思ってましたね」

どれほど感情を表に出したとはいっても、イチローは相変わらず、プレーだけは淡々とこなした。どんなに一点が欲しい場面でタイムリーを打っても、イチローがグラウンドの上で感情を表現することはなかった。韓国と、最後の最後で運命を分けた分水嶺は、そこの違いだったとイチローは思っている。

日本代表のユニフォームを着た一カ月。イチローも、刺激を受け続けた。

「僕は、この素晴らしい仲間から何かを学びたかったくらいです。ムネ（川﨑）なんか特にそうでしたけど、野球に対する純粋な思いっていうのはいいなぁと思いましたね。何をやるにも一生懸命ですし、どこへ向かうにしても、あの気持ちが失われなかったら強いですよ。もちろん、僕も失ってはいないつもりだったんですけど、ムネのああいうエネルギーが漲《みなぎ》った動きを見ていると、今の自分はどうなのかなぁと思ったりもしますね」

ただ、開幕前にこれだけ燃えたぎった戦いを見せられると、シーズンの方は大丈夫だろうかという不安もよぎる。

「不安なんか何もないですよ。シーズンに入るということはいつだって怖いんですけど、モチベーションの問題については何も心配していません。だって僕は、野球が好きだから。そんな心配はまったくありません」

街頭テレビの前で、野球に燃えた日本人。王ジャパンは、昭和の野球熱を再現してくれた。この一カ月の間に感じたことを、イチローはこう表現してくれた。

「僕は日本人であることを意識していたいし、もっともっと日本人でありたいと思うようになりました」

イチローは今シーズン、ＷＢＣのときと同じように、小さな日の丸をつけたスパイクを履き続けるのだという。

「だいたい、野球なんてわからないことだらけですから」

［ファースト・メッセージ］イチロー「日本野球の武器」Sports Graphic Number 659/AUG 2006

第1回のWBCで、見事に世界一の座をつかみ取った日本の野球。イチローは野球人としての自分自身のバックグラウンドを、「日本の野球で育って、アメリカでベースボールをやっている」と表現した。続けて、野球とベースボールのイメージを言葉で綴ったイチローは、研ぎ澄まされた言語感覚で、野球とベースボールの本質をくっきりと際立たせてくれた。野球とは、ベースボールとは、そして、世界一に輝いた現在の日本の野球とは――。

日本で打ったヒットは、1278本。

そしてメジャーで1279本目のヒットを放ち、日本での数字を超えた7月26日の試合後、イチローはこう言った。

「僕の基盤は、やっぱり日本にありますからね。僕の元となっているものは……」

イチローの〝基盤〟。

それは、日本で培われたものだとイチローは言う。ちょうど2年前の今頃、イチローはこの〝基盤〟という言葉を、こんなふうに説明していたことがあった。

「僕は日本の『野球』で育って、それを基盤としてこっちで『ベースボール』をやってる、そんな感覚です。『野球』は極めるためのもので、すごく緻密。『ベースボール』は気晴らしのためのもので、すごくおおらか。僕はその両方を大事にしなければならないと思っています。だから野球はもっとおおらかでいいし、ベースボールはもっと緻密であって欲しい。今の日本の野球はおおらかにやろうという環境にはないし、メジャーの野球にも緻密さが欠けている。流れに逆らいたいというのが僕の基本ですから（笑）、日本にいたときはおおらかに、アメリカでは緻密に、という方向に傾きがちなのかもしれません」

では、イチローのいう緻密さとは、具体的には何を指しているのか。

つい最近、メジャーの選手が緻密さを欠いていることを、イチローが改めて思い知らされるような出来事があった。マリナーズのセンター、ジェレミー・リードが7月2日に故障して、そのポジションにマイナー上がりの秋信守《チュシンス》、ユーティリティ・プレイヤーのウイリー・ブルームクィスト、２００３年のドラフト1巡目、アダム・ジョーンズの３人が入った時期があった。ライトのイチローとしては、センターの選手が入れ替わるたびに、コンビネーションを確認しなければならない。センターとライトの約束事は、一つだけ。それは、センターが声を出したら、必ずセンターが捕る、というもの。その約束事を確認するために、イチローは試合前、フライを捕る練習を行っていた。ボールが右中間に上がり、センターが声を出す。

〝I GOT IT!　I GOT IT!〟

イチローは、そのセンターの声にかぶせるように、わざと大きな声を出す。

〝I GOT IT!　I GOT IT!〟

すると、イチローの声に惑わされたセンターは一瞬、引いてしまう。センターが声を出したら捕るのはセンター、という約束事を決めているのにもかかわらず、である。

「だから、センターが声を出したら、センターが捕るというのが約束事だろう」

試合中、歓声で掛け声がかき消されるケースもあれば、ほぼ同時に声を出してしまうことだってある。そういう時のために、イチローはセンターが声を出すのとほぼ同時にわざと声を出してみせているというのに、センターはいともあっさりその声に惑わされてしまう。どれだけ身体能力の高いプレイヤーがセンターを守っていたとしても、これではライトとのコンビネーションは成り立たない。

逆に、日本の選手の緻密さにイチローが改めて驚かされたこともあった。WBCの日本代表でチームメイトになった川崎宗則や西岡剛に対して、イチローはさまざまな問いかけをしてみた。たとえば、一塁ランナーとしてリードをするとき、セカンド方向へ体を振るシャッフルのタイミングをどのように考えるか——イチローのこの問いかけに対して、川崎も西岡も、「バッターがボールをミートする瞬間、宙に浮いているタイミングでシャッフルしている」と、即答したのだという。イチローは驚いていた。

「みんな、いろんな野球の話をきちんと言葉で説明できることに驚きました。まだ空回りしているヤツもいましたけど(笑)、それでも何とか言葉にしようとしてましたからね。頭を使って、野球を考えようとしているということなんでしょう」

ＷＢＣで勝った、日本の野球。

しかし、日本の緻密な野球が世界を制したという安直な図式に、イチローは与《くみ》さない。彼は、勝ったから〝日本の野球〟が世界一なのだ、と言った。アメリカ、ドミニカ、キューバ、日本……世界のトップクラスに居並ぶ国々の中で、日本がＷＢＣに勝てたという結果は紙一重であって、何をもって日本が勝てたのかと問われれば「運があったから」としか言えないのだという。

「実際に勝ったんですから、目に見えない何かがあったんだと思いますけど、それが何なのかなんてことは絶対にわからない。だいたい、野球なんてわからないことだらけですから。みんな答を探そうとしますけど、野球に明らかなことなんて何にもないでしょう」

緻密さを基盤にした日本の野球は、確かに世界のトップクラスに並び立っている。そして日本のプレイヤーは、世界のトップに立てることを、イチローが示した。しかし、それが紙一重の連続だということは、誰よりもイチロー自身が痛感している。

「今シーズン、3試合で11本もヒットが出たかと思えば、6試合で2本しか打てないこともあった。それでも僕の感覚の中では、どちらの結果に対してもまったく違わない自分がいるわけですよ。それは心強いことではありますけど、同時に怖いことでもありますよね。どっちに転ぶ可能性もあるわけですから」

ならば、その紙一重のはずの結果を、イチローが常にいい方へ手繰り寄せてこられたのはなぜだったのか。

「それは、本能以外の部分があったからでしょうね。メジャーのトップの選手には本能ではとても敵わなくても、先を読むこととか、匂いを感じ取ることとか……」

イチローというプレイヤーがメジャーで勝負している武器はそれなのか、と問うと、イチローは即座に、「うん」と頷いた。

「野球ってこんなに難しかったのかと本当に思いました」

［独占インタビュー］イチロー「6年目の孤独」Sports Graphic Number 665/NOV 2006

日本代表のユニフォームを身に纏い、WBCで勝つところから始まった、2006年のシーズン。マリナーズに戻ったイチローは、6年連続の200安打を達成した。しかし、イチローの心は晴れない。それは、マリナーズがまたも最下位に沈んだからだった。イチローは、自分の数字とチームの成績との狭間《はざま》で葛藤し、責任感に苛《さいな》まれ、孤独感に打ちのめされていた。そんなイチローを救ってくれたのは、妻であり、亡き恩師の言葉だったのだ。

誕生日にゲームをしていたのは、5年も前のことだ。イチローが28歳になった2001年10月22日、ヤンキースタジアムでア・リーグのチャンピオンシップに敗れたマリナーズは、以来、プレイオフを戦っていない。

そして今年、イチローは33歳になった。彼は、ヤンキースに屈した2001年から毎年、200本のヒットを打ち続けている。シーズンが終わればゼロにリセットされて、再び積み上げる200という数字。6年も続いていることで逆に当たり前だと思われかねない偉業に、イチローはずっとこだわっている。

「150本のヒットしか打てなくて、チームがワールドシリーズに勝っても、つまらないでしょうね。僕はそう思います……」

世界一になれなくても、200本のヒットが打てればいい、と言っているのではない。世界一になるために、200本のヒットが打てる自分であることが先に来ると、イチローはそう言っているのだ。そして、6年目の200本は、どの年とも同じではない。

あれは、ピッツバーグでのオールスターの直後、7月15日のトロントでのことだった。試合後、イタリアンレストランでお気に入りのリゾットを食べて、他愛もない話で盛り上がった帰り道。ホテルに到着する直前、後部座席のイチローが突然、声を張り上げた。

「6タコは、いつ以来ですか」

イチローから飛び出した〝6打数ノーヒット〟を意味するこの言葉に、一瞬、ギョッとした。食事の席ではその話題はタブーとばかり、野球の話は切り出さなかったというのに、まさかイチロー自身がNGワードを口にするとは思いもしなかったからだ。もちろん、6タコについてはすでに記者席でも話題になっていたため、イチローの問いかけには、「去年の7月31日以来」だと即答できた。するとイチローは、意外に明るい声でこう言った。

「へーっ、今シーズンは初めてか。いいペースですね。1年に1回は6タコがないとね」

そして、イチローは続けた。

「7打席目、チャレンジしたかったですね。ワクワク、ドキドキするじゃないですか」

このゲーム、イチローは6タコのあとの7打席目に立った。実は、メジャーに来てから過去に3回あった6タコのゲームでは、いずれも7打席目は回ってこなかった。それがこの日は7打席目が巡ってきたのである。しかし、同点の延長でランナーが二塁にいたため、イチローは歩かされてしまった。

「やってみたかったなぁ。だって、これも新しい挑戦の一つですから」

イチローは常に「新しい挑戦」という刺激を求めている。7タコのリスクを背負って打席に立つプレッシャーは、イチローにとっては未体験ゾーンだった。そういう目の前に現れる新しいプレッシャーを一つずつ克服することで、彼は階段を上がってきた。

「（階段なんて）上がってきてないですよ。今の僕には弱さしかありません。とくに苦しいときは、それを強く感じました。プレッシャーに打ち勝てない。負けている。もちろん、（いつか打ち勝てることを）期待はしてますけど、少なくともこの6年間はまったく克服できていない。どんどん苦しくなりますからね」

なかでも、イチローにとってもっとも過酷なプレッシャーとなっているのが、200本のヒットを打ち続けることなのだ。決して毎年、同じことを繰り返しているのではない。年を重ねるごとにその難易度は増している。なぜなら、記録が途切れることでリセットされる時間が長ければ長いほど、失うものも大きくなるからだ。大切に積み重ねてきたものを失いたくないと思えば、それだけプレッシャーも増してしまう。6年連続の200本は、イチローにとっては新しい挑戦だった。

「200本を打つ直前、180本から190本目を打つあたりが一番、苦しかったですね。体が自由に動かないんですよ。プレッシャーで動きがおかしくなって、結果が出なくなる。だって、ご飯を食べていても呼吸の仕方がわからなくなってくるんですから。呼吸のリズムが合わなくなって苦しくなる……それくらい追い込まれてしまうんですよ」

180本目を打ったのが8月30日のシアトルでのエンゼルス戦。190本目を打ったのが9

月9日、シアトルに戻ってきて2戦目のレンジャーズ戦。その10日の間に、イチローはタンパ、デトロイトへの遠征に出ている。そして9月3日、タンパでのデビルレイズ戦でイチローは今シーズン2度目の6タコを喫してしまった。イチローはその翌日、報道陣に対して、こうコメントしている。

「この時期は孤独を感じることが多い」

イチローが感じていた孤独――。それはしょうがない、誰にもわからないとつけ加えて、イチローがこの日、つい言葉にしてしまった正直な想いは、・233という自己ワーストに終わった8月の月間打率とは無縁ではなかった。

「それ（孤独を感じる理由）が僕の側にあったとしたら、（8月に）結果が出せていなかったということでしょうね。僕は、いつだってやらなくてはいけないんです。そう思うと苦しくなることはわかっているんですけど、一時期でも結果が出なくなると、どうしてもそこに目がいってしまう。それは見ている人も、一緒に戦っている選手たちも、僕自身もそうなってしまう。結局、僕も洗脳されているのかもしれませんね（苦笑）。だから結果を残せない自分が許せなくなるし、でも、そうは言っても……っていう自分もいたりして、そこに葛藤が生まれてしまうんです」

しかも、時を同じくしてマリナーズがまたも失速。8月上旬、首位のアスレチックスに3・5差まで迫り、地区優勝へのわずかな可能性が生まれたところで11連敗を喫し、ポストシーズン進出の望みも潰えてしまった。しかも重箱の隅をつつくが如く、やれ得点圏打率が高くない、打点が少ないじゃないかと高いレベルに追いつかない数字をあげつらってイチローは批判され、彼は苛まれていた。「僕って野球、ヘタですかねぇ」と八つ当たりのように聞いてきたのもこの頃のことだ。

「それくらい打ちのめされていたんです、できるはずのことができないから……イヤですよ、カベなんて目の前に現れて欲しくない。逃げ出したいし、グラウンドに行くのも憂鬱になるし……野球ってこんなに難しかったのかと本当に思いました。毎年、200本を前にすると精神的な乱れが起こって、肉体に影響を及ぼしてしまう。だから自分に弱さを感じるし、野球に難しさを感じてしまうんです」

9月8日、シアトル。

この日まで、イチローが打ったヒットは187本。彼が言うところの「一番、苦しかった時期」の真っ只中だ。空席の目立つセーフコ・フィールドでレンジャーズと対戦したマリナーズは、城島健司とリッチー・セクソンの一発で、7—2と快勝した。しかし、イチローは4打数ノーヒット。守りでもセンターに移ってから初めてのエラーを記録するなど、冴えない一日になってしまった。

イチローがいつものように帰宅する。妻の弓子さんと愛犬の一弓が出迎える。弓子さんは、試合が終わってから1時間もたたないうちに帰ってくるイチローのために、食事の準備をしていた。当然、今日の結果はテレビで見て、知っている。

「そういうときって、家に帰った僕の雰囲気が違うんでしょうね。帰った途端、きっと僕、暗いんですよ（笑）。目指してるものが近づいてくると、どうしてもそういうことってあるんですよね。それを弓子に見抜かれてるのは、家に帰ったらすぐにわかる（苦笑）。自分としては普段と変わらないつもりで、ただいまって言うんですけど、彼女、その瞬間、苦笑いするんですよ。『大丈夫？』って。どうせ見抜かれているなら黙っているのもおかしいし、じゃあ、ここは愚痴ろうかなと……」

着替えて、食事をしながら、イチローは弓子さんに思いの丈を吐露した。

「そうしたらね、弓子が、僕が孤独だったら孤独じゃない人なんて一人もいないって言うわけですよ。僕ほど見えてないところで応援してもらっている選手はいないって……僕はそのとき、自分の目で見える周りのところにしか、目が向いていなかった。だからすごく孤独を感じると言ったんですけど、弓子は、『それは全然、違う』と。そう言われたらそうかもしれないなぁと思いましたね。僕の目に入っていない、たくさんの人たちの目を忘れているつもりはないいんですけど、プレッシャーと向き合っているときって、グーッと入ってしまっているんですよ。だから広い視野でものが見えなくなってしまう。あの夜の彼女の言葉にはずいぶんと救われましたし、気持ちを楽にしてもらいましたね」

その翌朝、9月9日。

イチローが起きて、いつものようにソファーに座り、リモコンを使ってテレビをつけた。ふと見ると、さり気なく、一枚の写真が立てかけてある。それは、オリックスのユニフォームに身を包んだ、在りし日の仰木彬監督の写真だった。

「いやぁ、弓子って、カッコいいことするんですよねぇ（笑）。朝、僕が座ったらちょうど見えるようなところに、何気なく置いてあるわけですよ。その写真の監督の顔が、満面の笑みではないんですけど、すごくやわらかい笑顔なんです。その顔を見ていたら、昔のことを思い出して、ちょっと……今でも救われる思いがする監督の言葉があるんです」

イチローが思い出す、仰木彬の言葉――。

「僕がヒットを1本打って、負けた試合のあとですよ。あのときの仰木監督の言葉って、僕の中には今も強烈に残っています。あれは'94年の4月、やっと一軍に定着できたかなという頃でした。福岡で、4打数1安打の試合があったんです。1安打というのは二塁打で、4打席目にやっと出た。でも試合は完封負けを喰らって、僕はその前の日も5タコだったんで、ハッピーじゃないって感じで振る舞っていたら、監督がヒョロヒョロっと来て、いきなりこう言ったんです。『二塁打1本？　いいじゃないか、試合なんて関係ないよ』って。僕、ビックリして、この人すごいなって思ったんです。試合に負けたのに、監督が選手に向かって、自分のことだけ考えてやればいいって言ったんですよ。チームのためにやれっていう監督ばっかりじゃないですか。ありえないですよ。4の4、打ったって、5の5を期待されるのが普通ですからね。4の1で、全然いいんだよなんて言われると……あの一言にはね、いまだに救われます。だから、監督のあの柔らかい笑顔を見せられてね、ちょっと、きちゃいましたよ」

イチローはその夜のレンジャーズ戦で3本のヒットを放って、今シーズンの安打数を190本とした。7月25日以来、なんと41試合ぶりの1試合3安打。実はこの日のゲーム前、イチローはあるヒントを摑んでいた。

「プレッシャーと向き合っている間、何が難しいかって、力を抜くことなんです。自分でも余分な力が入っているのはわかるんですよ。でも、なかなか抜けないんですよね。それがあの日のゲームで、できたんです。何でかなぁ。やっぱり、仰木監督の笑顔を見たからじゃないですか（笑）。本当に何がきっかけになるかわからない。でもね、僕、あの日の練習で、キャッチボールのときの投げ方を変えたんです。僕の中にはまだピッチャーだったときの感覚が残っていますから、いろんな人の真似をしたりしてキャッチボールしてるんです。子どものときに真似した小松（辰雄）さんとか、江川（卓）さんとか、桑田（真澄）さんとか……そのときは僕、牛島（和彦）さんになったんです（笑）。そうしたら、リリースのところだけに力が入る感じがあって、おおっ、これはいいなぁ、この感じがバッティングにあったらって……そこからなんですよ、インパクトの瞬間だけ力を入れる感覚で打てるようになったのは。ああいう感覚は1994年以来かもしれません。あのキャッチボールの投げ方を変えたのは、すごくいいヒントになりましたね」

150本を過ぎてから、10本のヒットを打つために費やした打数は58、34、39、39。それが190本以降は、28、29、24。今シーズン、もっともヒットを量産した5月末から6月上旬までの、70本から100本を打ったときの19、18、18という驚異的なペースには及ばないものの、イチローが最後にきて解き放たれたことは数字が証明している。それも、200本を打ってからではなく、190本を過ぎてからだというのが興味深い。

「そうは言っても、最初はイメージと違う打球も多かったですよ。ボールがバットの根っこに当たったりすると、そりゃ、ショックですからね。でも、200本を打ったあと、テキサスでのゲーム（9月20日、レンジャーズ戦）で、センターオーバーの二塁打を打ったんです。あんな打球、その前だったら絶対に出ませんからね。絶対、出ない。ああいう打球はインパクトの瞬間に力を集中させられているからこそ、出るんですよ。あれは嬉しかったなぁ。うおっ、キターッと思いましたね。この感じだなって（笑）」

終わり方としては、この6年で最高だったというイチローは、シーズン最終戦を終えたあとも、スッキリとした表情で報道陣に囲まれた。3年連続最下位というチームとしての結果への苛立ち、意識の低いチームメイトへの物足りなさ、そしてマイク・ハーグローブ監督への不満──そういった、イチローが抱いていて当然だと思っていた心の澱みは、6年目を終えたイチローからはまったく感じられなかったのである。

「だって、今のチームが抱える問題点は明らかですからね。先発ピッチャーが二人、足りない。そこさえ補えれば十分、優勝候補になりますから。もちろん、今の僕には何のしこりも残っていませんし、去年みたいなストレスもまったくありませんね」

イチローの4年契約は来年で終わる。5年続けてポストシーズンに進めないマリナーズと、6年続けて結果を残しているイチローとの間に周囲がギャップを感じるのは当然だろう。チームを出るべきだ、勝てるチームに移った方がいい──WBCで日本を世界一に導いたイチローの輝きが鮮烈だったからこそ、そんな声が巷に溢れていることも否めない。

「あの感じをもう一回味わいたければ、3年後のWBCのときに選ばれるべき選手でいればいいわけですよ。日の丸を背負って国のために戦って、それで勝った喜びは他では味わえませんから。たとえマリナーズでワールドシリーズに勝ったとしても、それはまた別の喜びだと思いますよ。あのときと同じには絶対になり得ないでしょう」

　そして、イチローはこう続けた。

「シーズンの最後に、昔から仲のいい友だちがシアトルに来てくれたんです。その友だちは僕がメジャーに来てから初めてアメリカに来たんですけど、今まではずっと『もう（マリナーズを）出なよ。こんなのダメだよ、一人で何やったって勝てないんだから』って僕に言ってた（笑）。でも、シアトルに初めて来て、球場で試合を見たら、『やっぱりここにいないとダメだよ』って（笑）。要するに、ここに来ないとわからないことってあるんですよ。シアトルのファンがどんなふうに僕を支えてくれているのか、シアトルの街がどんな環境なのかを肌で感じてくれれば、僕がずっとシアトルで野球をやりたいと思う理由も伝わるんじゃないかと思うんですけど……」

　イチローに「プレイオフを狙えるチームへ行けばいいのに」と言えば、「プレイオフを狙えるチームってどこですか」と逆に聞き返されてしまう。実際、昨シーズンは借金を20も抱えたタイガースが今シーズンはワールドシリーズに進んだり、レッドソックスがポストシーズンに進めなかったりするわけで、確かに、〝勝てるチーム〟がどこかを見極めるなんてことは、容易ではない。

「勝てるチームを求めてチームを移るという考え方もあるでしょう。でも、そうじゃない考え方もある。どっちも正解なんですよ。ただ、この6年で築き上げたものは、新しいチームでは作れない。僕がシアトルにきて、この6年間で積み上げたものは、今から他のチームに行って同じ6年を費やしたとしても絶対に築けない。だったら僕は、やらせてもらえる限りはずっとシアトルでプレーしたい。今はそれ以外、考えてないですよ」

イチローは毅然として、そう言い切った。

2006年成績　161試合　695打数（リーグ1位）224安打（リーグ1位）9本塁打
49打点　打率・322　45盗塁　ゴールドグラブ賞　オールスター選出　WBC優勝

「WBCの僕と、今までの僕は、別のカテゴリーに入れるべきものだと思うんです」

[知られざるWBC戦記]「二つのイチロー」Sports Graphic Number 669/JAN 2007

WBCが終わって9カ月。歓喜に包まれ、勝利の余韻に浸って言葉を紡いだ直後のインタビューと違って、9カ月の時間はイチローに喜びとは別の感情を湧き起こさせた。メジャーでトップに君臨するプレイヤーの一人として、アメリカやドミニカに挑むイチローに不安はなかった。しかしチームリーダーとして日本の選手を引っ張っていくことに関しては、彼は不安だらけだったのだ。WBCにまつわるイチローの想いを改めて訊いてみた。

集合日は、2月21日だった。

ほとんどの選手がその前夜、福岡に入っていたが、イチローだけは神戸から、集合日の当日に移動してきた。その日の朝、神戸にいたイチローは、すでに福岡にいた上原浩治に電話をかけている。

「そっちの様子はどんな感じ?」

これから1カ月、ともに戦っていく日本代表の選手たちが果たしてどんな雰囲気なのか、イチローは気にしていたのである。


WBCを戦い終えて、9カ月が経った。

日の丸を背負ったイチローは、その変貌ぶりで日本中の人々を驚かせた。世界一を勝ち取った直後の3月、そんなイチローのWBCに対する位置づけを知りたくて、最初に浮かんでくるシーンを訊ねてみた。すると彼は「最後、大塚(晶則)さんが三振を取った瞬間かな。大の大人が恥ずかしげもなく喜んで、みんなが子どもの集まりに見えました」と言って、笑っていた。

9カ月を経て、改めてイチローに同じ質問をしてみた。するとイチローは、ある光景を思い浮かべて、こう言った。

「最初に福岡で集まったときのことですね。あのときはどんなチームになるかわからなかったし、みんな不安だったと思います。王（貞治）監督がみんなを集めて話をされましたけど、気持ちが一つになっていくにはあまりにも少ない時間だと思っていました。最終的にキューバに勝って、僕らが一番になりましたけど、あの1カ月の間に、それぞれの気持ちの中はものすごくいい方向に動いていったと思うんです。だからこそ、最初の不安な感じというのが浮かんでくるのかもしれませんね」

イチローが浮かべた〝ある光景〟とは、福岡のホテルで行われた最初のミーティングのとき、福留孝介と交わした会話だった。

「おい、孝介。お前、全員の名前言えるのか」

「そりゃ、言えますよ」

「えーっ、背番号も全部わかるのか」

「うん、わかりますよ」

「えーっ、オレ、顔だって半分くらいしかわかんないよ、ヤバいなぁ……」

イチローが日本を離れて5年が経っていた。日本代表に選ばれた29名のうち、イチローが渡米した2001年の時点でまだプロに来ていない選手とレギュラーと呼べなかった選手をあわせれば、おおよそ半分になる。日本代表の選手だとはいっても、イチローが半分知らないというのも無理からぬ話だった。イチローが、チームを束ねるために腐心してきた1カ月。その戦いは、ゼロどころか、マイナスから始まっていたのである。

「初めて会う選手には、何か話しかけなきゃとか思いますよね。そういう独特の緊張感が僕は苦手なので、最初はあの空気感がつらかったんです。でも、それぞれの選手に対面したとき、彼らが僕に対して何かしら感じているものがちょっとだけ伝わってきたので、その瞬間かなぁ、少し、安心したのは……」

共有すべきは、勝つことへのこだわりである。一番になることへの強い気持ちを共有できなければ、チームは一つになれない。シーズン前の大事な時期に、WBCの日本代表として招集された選手たちはどんなモチベーションを持って日の丸を背負っているのか。イチローが知りたかったのは、そこだ。年齢から言っても実績から考えても、このチームの中心となるべきは自分であることを自覚していたイチローは、彼の行動や言葉に対して選手たちがどういう感情を抱き、どんな反応を見せるのか――そこに不安を抱いていた。

「だって、僕もWBCについて最初に訊かれたとき、『いや、僕は格闘技には詳しくないんで』って言ったくらいですから(笑)。そこが歴史のなさ、初めてのつらさであって、これが積み上げられてきた大会であれば言ったく違ったと思うんです。でも、王さんがWBCの監督を引き受けられた。その決断を下されたことに対して、僕は王監督の気持ちに強さを感じました。監督は『世界の王』と言われ続けた。そういうことの重さとか辛さを、僕もアメリカに来て少しだけ感じられるようになったことが、僕の気持ちを動かしたのかもしれません。だから僕もＷＢＣに出ようと思ったし、（チームをまとめることにも）積極的になれたんだと思います」

どんな大会かもわからない、選手の能力もイメージできない、まして顔も知らない選手が半分もいる――そんな不安を払拭し、チームをまとめるためにイチローが仲間に示そうとしたことは、いたってシンプルだった。

「たとえば、アップのときには全力で走るとか、早く来て個人で練習しているとか、そんなことは僕にとって当ったり前のことで、特別でもなんでもないんですけど、それをみんなが特別視してくれたことは大きかったような気がします。ムネ（川﨑宗則）なんかも『全力で走るなんてあり得ないっすよ』って驚いてましたけど、僕にとって、すべては野球が好きだからってことなんですよね。何かしらの責任感から練習をやる人とか、野球を仕事だと割り切ってやっている人もいるとは思いますけど、僕は『野球、好きだから』ってところが原動力になっているんです」

年齢を問わず、日本代表の選手たちはイチローを意識した。素直に何かを聞いてくる選手もいれば、遠巻きに見ている選手もいた。メジャーのスーパースターが放つオーラを、彼らは否が応でも意識させられた。だからこそ、イチローの放った眩《まばゆ》いばかりの輝きは両刃の剣でもあった。そのことをよくわかっていたのは、アテネ五輪でキャプテンを務めた宮本慎也だ。イチローは福岡で宮本と食事をしたとき、「みんなのところへ降りてきてほしい」ということを宮本から伝えられている。

「でも、僕にはそんな（降りていくという）発想はありませんでした。別に降りていくとか、そんなふうに考えなくても、どう考えたって僕が（リーダー役を）やんなきゃいけないという雰囲気はあったじゃないですか。だから僕は、このチームがまとまっていくために、全体の流れに何となく入っていくことだけはやってはいけないと思っていたんです」

普通に振る舞えば目立つことを承知の上で、イチローはあえてアクセルをゆるめることをしなかった。その一方で日頃は表に出そうとしない一面を隠そうともしなかった。だから、イチローは変わった——そう言われた。WBCの前に行われた日本代表の練習試合を終えて会見に現れたとき、イチローが突然、かすれた声で「いやぁ、声が嗄れちゃってねぇ、大変なんスよ」と第一声を発したときはさすがに仰天した。試合中も大声を出し、他の選手のヒットに大喜びして、WBCに入れ込もうとしているイチローが、そこにいた。

「でもね、もっと入れ込んでもよかったと思いますよ。緩い状態で入っていって、だんだん、これは違うぞ、というふうになるのが一番まずいですからね。でも、あの声には僕も驚きました。普段、声を出さないからなんでしょうけど、ちょっと、好きになりましたね。ああいう声になる自分のことを（笑）」

そうまでしてイチローが、ＷＢＣに取り憑かれたのは、いったいなぜだったのか。もちろん、それは日の丸を背負って世界一になりたいという強い想いがあったからだ。

ただし、それだけではなかった。

イチローには、他の選手たちにはない、別のモチベーションがあった。イチローが照準を定めていたのは、世界一になることの他にもう一つ、アメリカを倒すということだった。

「僕の中で、世界一になることとアメリカに勝つことは違いました。別のところに気持ちが存在しているという感じかな。だって、そうでしょう。メジャーリーグは野球のトップに存在しているはずなのに、アメリカに来てみて、そこが自分の想像していた世界ではないということをたくさん感じてしまいましたからね。思った通り、本当にとんでもないところだったら、そうは思わなかったかもしれません。要は力ではなくて、精神的にね、メジャーはかなり劣っていると僕は感じているので、アメリカには負けられないぞっていう気持ちが湧き起こってきたんです。アメリカはポテンシャルの高い選手は多いと思います。でも、僕らが遠い昔に抱いていたイメージとは明らかに違う相手に対して、調子づかしてはいけない。しかも、自分たちがトップだと思っているヤツらがたくさんいるんですから、そういうことへの反発はありました」

日本人としてメジャーのトップでプレーしているイチローは、アメリカに特別な感情を抱いている。アメリカのいいところも悪いところも見聞きしてきた5年間。3割、200安打、100得点、30盗塁、オールスター出場、ゴールドグラブ受賞——イチローがズラリと揃えた実績はメジャーでも傑出している。もちろん、メジャーの凄味も十分に感じさせられてきたが、同時に失望もあった。

2月の集合以来、野球を考えるという能力において、日本代表のポテンシャルは相当に高いとイチローは感じていた。このチームとならば、アメリカに勝てないはずはない。そう思っていたからこそ、イチローはWBCでアメリカを倒して、日本の野球偏差値の高さを世界に示したかったのだ。イチローは、日本代表の他の誰とも違う想いを胸にアメリカに挑んでいたのである。

ところが——。3月12日、アメリカとの初戦。イチローは試合前、思いもしない現実を目の当たりにした。日本代表の選手たちが、デレク・ジーター、アレックス・ロドリゲス、ケン・グリフィー・ジュニアといった錚々たる顔ぶれのメジャーリーガーを前に、憧れが先に立ってしまったのか、萎縮してしまったのか、バッティング練習を遠巻きにしか見ようとせず、誰もケージに近寄ってこなかったのだ。

「僕はケージの近くでストレッチをしていたんですけど、みんな、距離を保っているんですよ。

近くで見ればいいじゃないですか、すごい選手がいるんだから。これは、完全にファンの目になっていると思いましたね」

危機感を抱いたイチローは試合前、宮本に相談をしてから、外野のフィールドに選手たちを集めた。そして、輪の中心に立って口を開く。まるで、今日の日のために今までの20日間、心を砕いてきたんだぞ、とでも言わんばかりに、イチローは必死で言葉を紡いだ。

『アイツら、みんな（野球に関しては）考えてない。でも、まとまってきたらホントに強い。向こうのチームに合わせないで、自分たちの野球をしっかりやろう。向こうがたいしたことなくても、オレたちはたいしたことあるんだ。力の差はない。見下ろしていけ。今日を、歴史的な日にしようっ！』

――しかし、日本はアメリカに敗れた。

イチローは、ジェイク・ピービーから先頭打者ホームランを放った。川﨑が2点タイムリーで続き、日本は3―0とリードした。上原浩治はチッパー・ジョーンズの一発だけに抑え、5回までは3―1と日本がリードしていた。しかし6回、2番手の清水直行がデレク・リーに同点ツーランを許し、さらには8回、西岡剛のタッチアップによって認められた得点が抗議によって覆るという不可解な判定もあって、試合は同点のまま最終回へ突入。最後は藤川球児がA・ロッドにサヨナラタイムリーを打たれ、日本は、3―4で敗れた。

「あの日、練習のときのみんなの表情や態度を見て一気に不安になったことを考えれば、3—4は善戦でしょうね。ただ、僕が直に聞いたわけじゃないですけど、アメリカが2次リーグで敗退したとき、『いいスプリング・トレーニングだった』と言った選手がいたらしいんです。そんな哀れな発言を本当にしていたとしたら残念だし、精神的に本当に距離を感じます。彼らにはスキを見せて欲しくないのに、そんな相手に、僕らが一つになれていたと仮定すれば、負けたことは許せませんね」

では、ゲームのなかでのターニングポイントはどこにあったのか。

「もちろん誤審は大きかった。でも、それよりも3対0になってからの圧迫感が凄かったんです。3点をリードして、僕らのなかに『一気に勝てる』という気持ちが湧き上がってきた。そのとき、向こうから感じさせられるプレッシャーは、0対0で始まったときよりもずっと大きなものになっていました。そして、彼らは厳しいなかでも追いついてきた。彼らも3点を先制されてプレッシャーを感じたはずなんです。でもああやって、ジワジワくる。点差以上に、彼らの持つ空気感が僕らにそういうプレッシャーを感じさせるんでしょうね。僕らが0対3でリードされて向こうにアドバンテージをとられたとき、同じことができるかといったら、僕はできなかったと思います。ですから、差は1点ですけど、そこにはまだ大きな開きがありましたね。日本が10対0で負けることはあっても、日本が10対0で勝つ可能性はなかったでしょう」

10―0で負ける可能性のあった相手と互角に渡り合えたのは、言うまでもなく、イチローが先頭打者としてホームランを放ったからだった。アメリカに勝つために初回の攻撃がどれほど大事なのかということを誰よりも感じていたのは、イチローだった。だからこそ、彼はアメリカ戦の第1打席にすべてを賭け、インコースに来たら一発を狙ってやろうと感覚を研ぎ澄ませて待っていた。

もう一度、思い起こして欲しい。あのホームランを打った瞬間、イチローがニコリともせずにベースを一周したことを――。それは何を意味していたのだろうか。

イチローが「挑戦だった」と表現したWBCでは、感情を顕わにする変貌したイチローだけがクローズアップされていたが、実はイチローには二つの顔があった。一つの顔は、チームをまとめて世界一を目指す〝リーダーとしてのイチロー〟。そしてもう一つの顔は、個人としてメジャーリーガーを圧倒し、アメリカを倒そうとした〝プレイヤーとしてのイチロー〟だった。実際、あれだけベンチで感情を剝き出しにして喜怒哀楽を表現していたイチローが、ホームランを打ったときも大事な場面でヒットを打ったときも、ニコリともしなければガッツポーズもしない。ベンチに戻ってはしゃぐことはあっても、フィールドの上にはいつものように一切の感情を表現しないイチローがいた。彼はこうも言っていた。

「僕にとって、WBCでの新しい挑戦は、実質的にも見た目にもチームの中心になるということでした。ユニフォームを着ているときには決して表現してこなかった自分、たとえば、他の選手が打つことをすごく嬉しく思っているチームありきの僕を、あえて表に出してこのチームを一つにしようとした……そういうところは僕にとっては今まで意識してやったことがなかったという意味で、確かに新しいチャレンジでした。ただ、自分が打ったときにはしませんでしたよ。ヒットを打って喜んだり、アウトになって悔しがったり、そういうことは絶対にしなかった。そこは貫きたいと思っていました。自分がダグアウトにいる時はいいけど、自分が打った後にそれはしない。そこは譲れませんでしたね」

最高の場面でホームランを打っても、大事な局面でタイムリーを放っても、フィールドに立つ限りは平然として、ニコリともしないイチロー。その姿は、メジャーで頂点に立った彼のプライドを具現化していた。つまり、ダグアウトには世界一を目指す、熱きリーダーのイチローがいて、フィールドにはアメリカに負けたくないという、誇り高きプレイヤーとしてのイチローがいた、というわけだ。

「WBCの僕と、今までの僕とでは、比較がきわめて困難なんですよ。すべてが違うものなので、別のカテゴリーに入れるべきものだと思うんです。みんな、今までのイチローと同じカテゴリーに入れるから、あんなイチローは珍しいとか、変わったとか、ビックリしたという発想になる。でも、そうじゃないんです。ダグアウトの僕は、すでに自分の中にあったものを表現しただけですから、ああいうイチローもありなんです（笑）」

イチローはアメリカに負けた夜、ロサンゼルスの和食屋で、「いやぁ、気持ちよかったねぇ」とグラスのビールを一気に飲み干していた。プレイヤーとしてのイチローが、最高のパフォーマンスを披露できた喜びに浸っていることを感じさせる光景だった。一方で、アメリカに勝てなかった悔しさは、韓国と二度目のゲームを戦う前、選手たちに檄を飛ばしたイチローのこの言葉に象徴されていた。

「今日は韓国とやるけど、アメリカともう一度やるために、今日、韓国に勝つよ」――。

結局、アメリカが2次リーグで姿を消したため、再戦は実現しなかった。

「正直、僕はアメリカに勝つことを目的としていました。ですからアメリカを倒せなかったことは残念です。でも今回に関しては世界一になったんだし、勝ったもの勝ちでいいんじゃないかという気持ちもありますね（笑）」

3月21日、日本代表は解散した。

福岡に集まったあの日から1カ月が経っていた。半分の選手の顔さえわからなかったイチローは、キューバに勝って世界一を勝ち取ったフィールドで、全員とハグするんだと決めて一人一人と抱き合った。日本へ帰る仲間たちとは握手を交わして別れを惜しんだ。

「みんなが同じ気持ちだったということですよね。同じような悔しさを味わって、同じように喜びも味わった。でも、チームが一つになれていたかどうかと聞かれれば、それはわからない。でも、あのチームだったら（一つに）なっていたんじゃないのかなぁ。だからね、今でも思いますよ、あのチームでメジャーのシーズンを戦ってもいいかなって。そうですよ、まぁ、戦いたいってほどじゃない。やってもいいかなって感じですけどね（笑）」

その言葉は、やっと孤高でなくなったイチローの、精一杯の強がりに聞こえた。

「人ができないことをやるのが大好きですから」

［独占インタビュー］イチローは開幕に何を誓うのか。「メジャー7年目の境地」
Sports Graphic Number 674/MAR 2007

メジャー7年目のシーズンを前に、イチローは、王貞治さんと食事をともにした。かつて、日本から世界のホームラン王へと飛躍を遂げた王さんは、ついには他人の記録との戦いに終止符を打って頂点に立ち、道なき道を歩き続けた。イチローにはそんな王さんにどうしても訊いてみたいことがあった。それは、イチローが抱いてきた揺るぎない信念が、初めて揺らぎかけていたからだった。イチローの質問に対して、王さんの発した言葉とは――。

イチローが有罪になった。

といっても1年ちょっと前、古畑任三郎に逮捕された殺人罪の容疑ではない。イチローの容疑は、『似合わない服を着続けた罪』。判決が下されたのは去年の5月、裁いたのはマリナーズの選手たちだった。

「だったら、アイツらの着てるおかしな服は似合ってるのかと言いたいよね。どんなに正しいことでも、そう言って主張しているのが一人だけだと間違ってることにされてしまうんだから、ヘンな話でしょう」

そもそもは冗談半分のカンガルー・コートでの話なのに、イチローは不機嫌そうにこぼしていた。カンガルー・コートとは私設裁判のことで、メジャーのチームのクラブハウスではけっこう頻繁に行われている。選手の〝罪〟を投票で募集し、その罪を裁判にかけて有罪か無罪かの判決を下し、罰金を徴収する。『似合わない服を着続けた罪』で有罪となったイチローは、100ドルの罰金を支払い、こんな捨て台詞を残した。

「たとえ1対99でも、どちらが正しいかなんてことは、僕には明らかなんですよ」

イチローには、ずっとそうだ。

世間が何と言おうと、大人がどう言い含めようと、自分の感じたままを信じ、貫いてきた。子どもの頃、なぜ手首を返さずに打つのかと大人に指摘されて、「だって誰よりも遠くへ飛ぶんだもん」と言ってのけ、他の誰とも違うのにその打ち方を変えようとはしなかった。プロに入ってからは、なぜ下半身主導で打たないのかと当時の球界の常識を半ば強制的に押しつけられながら、そんな打ち方では思うように打てないと反発。二軍に落とすなら落とせばいいと腹を括って、自らが築き上げてきたスタイルを守ろうとした。今でこそ野球人たちの市民権を得たイチローのバッティングは、彼が２００本のヒットを打つ１９９４年までは明らかに異端だった。それでもイチローが我流を貫けたのは、流される必要がないほどの結果を残してきたからだ。

「いつからでしょうね……もちろん、今でもブレない自分というものが完全にできあがっているわけではないですよ。ただ、その時々に感じているものの中から、おかしいなって感じたものを削除するという行為を繰り返してきただけなんです。その意識は徐々に強くなってきたとは思いますけどね。僕のモットーは『他人に厳しく、自分に甘く』。これが基本的なコンセプトですから（笑）」

そんなはずはあるまい。

他人にも厳しく、自分にも厳しく――そうでなければプレイヤーとしてあれほどの数字を残せるはずがない。イチローの日常からは自分に厳しい姿も垣間見えてくる。

７年目のシーズンを控え、渡米直前のイチローは、神戸のスカイマークスタジアムの脇にある１１４段の階段を駆け上がっていた。

「このトレーニングを始めたのは、メジャー1年目のオフからです。まず坂をあがるでしょ。それから階段を上るんです。最初の5本は一段ずつ、6本目からは一段飛ばしで最低でも10本から15本。あのトレーニングをやってから技術的な練習をやっても体が持たないし、身につかない。だけど、技術練習をしない日にあの階段上りを取り入れたら効果的なんじゃないかなと思って、週に一回のペースで始めたんです。そうしたら、やっていて気持ちがいい。トレーニングそのものは僕が唯一する苦しい練習なんですけど、それをするとトレーニングとしてのバランスもよくなるし、体力を測るバロメーターにもなります」

この階段上りは古典的ではあるが、かなりキツいトレーニングである。始めた当初は友人と3、4人で上っていたのだが、なぜかこの階段上りに挑戦しようという仲間が増え続け、多いときには10人を越えるようになった。彼らはイチローが行きつけの牛タン屋の客だったり、イチローと仕事上のつきあいがある仲間たちばかりだ。

「あの人たちはみんな、普通じゃないですよ（笑）。たぶん、サシで話をしたら厄介な人たちばっかり。だけど、そういう人が周りにいてくれることは、僕にとってはすごく嬉しいことなんです。一筋縄ではいかない人たちばかりと、みんなが同じように子どもみたいな気持ちになって、階段を上るんですよ。ああいう瞬間って、ホント、いいですよね」

上り終えた階段の最上部、いつも決まった場所にしゃがみ込んで、イチローは苦しむ仲間を見下ろしながら「限界を知ることが大切なんだ」と檄《げき》を飛ばす。とはいえ、そこにはピリピリした雰囲気は感じられない。かつてのイチローといえば、ストイックで孤高のイメージがついてまわったものだが、近頃はテレビ番組などではしゃぐ姿も珍しくなくなってきた。フィールドの上では相変わらず喜怒哀楽を表現しないイチローだが、それ以外の場所ではやけに堂々と感情を晒け出す。そんなフランクなイチローを改めて感じさせられたのは、あと453本に迫った通算安打の日本記録に話が及んだときのことだった。

「何本ですか。3085本？　いつか張本（勲）さんのその記録を抜く日が来たら、記者会見で質問されますよね。『張本さんに何か一言』って……そしたら、『カーツッ』って言おうかと思っていたんです（笑）。でも去年のWBCのとき、東京ドームのダグアウトに座っていたら張本さんがいらっしゃったんですけど、ものすごく物腰が柔らかくて、棘々しさがまったくなくて、とても感じのいい方だったので、実は、ビックリしたんですよ。そうしたら日曜日の番組の張本さんも、なんだかかわいく見えてきてしまって（笑）。最近、僕、いろんなタイプの人に惹かれるんです。別に不思議じゃないですよ。だって、僕が理想としているもの、自分が目指しているもの、実際に自分がやっていることを、同じように表現する人のことを好きになるわけではないですからね。他の人に僕と同じであることを求めているわけではなくて、自分の形を持っているという点で同じであるという人に、僕は惹かれるんです」

年が明けて間もない頃、イチローは東京・六本木の鮨店で王貞治監督と食事をともにした。WBCで優勝して、サンディエゴで握手を交わして以来、10カ月ぶりの再会。1カ月にわたるWBCの戦いの中で、イチローは王監督の持っている「自分の形」に心底、惹かれるようになっていた。

「僕がWBCに出ることを決めて、よろしくお願いしますっていう電話をしたとき、僕は監督の携帯に非通知で電話しちゃったんですよ。あっ、しまった、番号通知するのを忘れたって思ったら、監督、出てくれましたからね（笑）。それって、監督の人柄を表してると思いませんか？　普通、出ませんよ。監督くらいになったら、非通知の電話には（笑）」

王監督は、胃の全摘手術を受けたとは思えないほど、鮨をパクついている。それがイチローにはたまらなく嬉しかった。そこが王監督の馴染みの鮨屋だったこともあって、監督の知人と出くわすこともあった。そんなときの王監督は出過ぎず、さりげなく挨拶をして、イチローを紹介する。そして、別の客に「お騒がせしてすみません」と頭を下げた。イチローも監督のマネをして「すみません」と頭を下げ、「なるほどね、そういう気配りは大切ですよね」と言って、笑っていた。

「僕も勉強です。監督のあの雰囲気、なかなか出ませんよ。まったく棘がないし、お愛想って感じでもない。どんな言葉も本気ですからね。それがすごい」

イチローは過ぎゆく時間を惜しむかのように、王監督へ矢継ぎ早に質問を浴びせていた。

「監督、挫折を味わったことはありますか」

「僕は花が咲くのが遅いんだよね。だからこそ土壇場に強いんだって、自分に言い聞かせているところはあったよね」

「僕をWBCのメンバーに入れていただいたのは、なぜだったんですか」

「だって、アメリカでこれだけのものを示してきているんだから、キミは外せないよ」

「監督にはホームランのイメージしかないんですけど全力で走ったこともあるんですか」

「何を言ってるんだ、オレは二塁打王を獲ったこともあるんだぞ（笑）」

王監督も、嬉しそうに答える。

話に花が咲き、贅を尽くした鮨をたらふく食ったあと、イチローはおもむろに王監督に訊ねた。

「現役時代、選手の時に、自分のためにプレーしていましたか、それともチームのためにプレーしていましたか」

イチローは訊いた直後、ドキドキしていたのだと言った。

「答えを聞くまでのちょっとの間、僕の中で緊迫しましたよ（笑）。ああ、聞かなきゃよかった、という結果だって考えられるわけでしょう。僕はあえてそこを訊いたわけで……」

王監督は即答した。

「オレは自分のためだよ。だって、自分のためにやるからこそ、それがチームのためになるんであって、チームのために、なんていうヤツは言い訳するからね。オレは監督としても、自分のためにやってる人が結果的にはチームのためになると思うね。自分のためにやる人がね、一番、自分に厳しいですよ。何々のためにとか言う人は、うまくいかないときの言い訳が生まれてきちゃうものだからな」

イチローは小さな声で「ありがとうございます」と言って、頭を下げた。

「よくぞ、という気持ちでしたね。そこの価値観は、僕も王さんもブレてない。共有してるっていう強みを感じたから、ありがとうございますって言ったんです。あれこそ、ハイリスク、ハイリターンってヤツですよ（笑）」

実はイチローはこのオフ、それぞれの世界でトップクラスに上り詰めている各界の人に会うたびに、同じ質問をし続けていた。自分が打ち込んでいることを、いったい何のためにやっているのか、と——。

「このオフ、いろんな人に会いましたけど、トップの人はみんな口を揃えて言いましたよ、『自分のためにやっている』って。誰一人としていませんでしたね、まずはチームだって言った人は……ゼロ、ゼロです。みんな、それがいずれはいろんなところにいい影響を及ぼすってことを知っている。それが僕にはすごく心強かったですね。とくに、王さんの言葉はね。だって、〝世界の王〟がそう言ったなら、堂々と言えますから。アメリカの選手にも、王さんがこう言ってたよって」

日本には依然として、個を殺して集団のために犠牲になることが美徳だという考え方が根強く残っている。これまで、イチローの中で唯一、価値観が揺らいだとしたら、この美徳を突きつけられたときだったのかもしれない。しかも、その価値観を日本人だけではなく、アメリカ人も持っていることを思い知らされたこともあった。去年、マリナーズのミーティングで、ベテランピッチャーのジェイミー・モイヤーが若い選手たちに向かって「苦しいときほどチームのためにがんばれ」「チームが負けている今こそ、お前らはもっとがんばれ」と興奮して連呼したことがあった。しかし、イチローはあえてミーティングでこう発言した。

「僕に、『もっと』はない」――。

イチローは、プロの価値観はさらにその先の「個を生かすことが集団のためになる」というところに存在していると訴えてきた。選手たちがイチローの価値観をなかなか理解できない中、イチローは常に多勢に無勢、1対99のシチュエーションに幾度となく追い込まれた。そのたびに、イチローの中で、信じていた価値観が揺らぎそうになった瞬間はあったはずだ。だからこそ、このオフもいろんな人に訊いて回ったりしたのだろう。

「いえ、そんな不安はありませんでした。なぜかって、彼らはみんなわかっていてそれを表現できないだけですから。実際、ゲームの中での動きがそうですもんね。自分のことしか考えてない。むしろ僕よりも自分のことしか考えない動きをしていますよね。そんなこと、わかり切ったことなんです。打てなくても勝てばいいというのは、極端に言えば自分がいなくてもチームが優勝すればいいということでしょう。ずっとベンチにいても優勝できればいいなんて選手、いるわけがない。だってそれじゃ、クビを切られますから。それでもいいなんて言えるはずはないですよね」

ならば、もしイチローが自分を殺してチームのためにプレーするという意識を持たされたとしたら、イチローというプレイヤーは何を失ってしまうと思っているのだろう。

「たぶん、オレなんてお金払って見る価値はないなって思うでしょうね。そうしてる自分のことを、オレ、つまんねぇなって……だから、野球も好きじゃなくなっちゃいますよ」

周りに流されず、信じた価値観を貫くからこそ、野球が楽しい。どれほど多勢に無勢だと感じさせられても、自分の形を持って、自分のために野球をやろうとする仲間は、必ずいる。そう思えるからこそ、今のイチローは孤独感を感じることがない。

6年連続で成し遂げてきたすべての数字を、7年に伸ばすことが期待される今シーズン。そのうち、２００安打については7年連続が近代野球におけるタイ記録となる。ウエイド・ボッグズ――12年連続でオールスター出場を果たした'80年代のメジャーを代表するサードベースマンである。ボッグズはメジャーデビュー翌年の'83年から、7年連続でシーズン２００安打を達成している。

「最初にメジャー記録が7年だって聞かされたときは、あれって思いました。だって、日本で僕がやってきた年数と同じでしたからね。7年というのは、僕にとってはメジャー記録というより、自分が日本で首位打者を獲り続けてきた年数なんです。そっちの価値観の方が僕には重い。それが僕がアメリカである程度、やれたという証だと思っていましたから。比較するのは、あくまでも自分です。もちろん他人の記録も尊いとは思いますけど、まずは自分の能力と競わないと……僕は日本では必死こいてやってきました。その数字を、アメリカでは楽々と超えていきたいんです。必死こいてやりたくない。去年も『僕だってギリギリのところでやってるんですよ』って言っちゃったでしょ。そういうの、ホントはヤなんですよ（笑）」

イチローは、その昔、『天才』と言われることを嫌がった。それは、必死でやっていることに対して、それを知らずに軽々と天才だからと括られることがガマンできなかったからだ。それが皮肉なことに、最近は『天才』と表現されることが少なくなってきた。

「面白いですよね。今、言われるのと当時とは全然、意味が違うし、そのときよりは（天才の域に）近づいてると思いますけどね。実は僕、天才が好きなんです（笑）。人ができないことをやるのが大好きですから。なのに200本が近づいてくると、本性が出ちゃう。それまでは出てこないのに、必死こく自分が現れちゃう。だからヤなんですよね。しかも続けるとなると、余計、必死こく。必死こけばこくほど目指すところが遠くなることはわかっているのに、必死こいちゃう。だから、続けるということは難しいんです」

イチローが言う「必死こいていた頃のイチロー」とは、一人歩きしてしまった〝イチロー〟の幻影を懸命に追い続けていた当時の話だ。「必死こきたくないイチロー」が現れたのは、2004年。ジョージ・シスラーが持っていたメジャーリーグでのシーズン最多安打記録を塗り替えた頃からだった。いつしか彼は、「鈴木一朗はイチローを越えた、今の彼（イチロー）は鈴木一朗の一部」と口にするようになっていた。鈴木一朗がイチローを追いかけていた頃、〝イチロー〟には孤高でストイックなイメージが作り上げられてしまったために、尖《とん》がる必要があった。

しかし、鈴木一朗がイチローを支配下に置いた今、楽して成し遂げる天才のイメージを今の〝イチロー〟に演出したいというシフトチェンジが一朗の中で行われたような気がしてならない。自分に厳しいことに変わりはないのに、「自分に甘い」というコンセプトでモットーを語ってしまうような、そんな天才肌のイチローが、今の彼の理想なのだろう。

「確かに以前は必死な自分がいました。思うようにポイントが見つからなくて、自分を落ち着かせようと必死になっているだけの自分がいたんです。そうなると苦しいですよね。何かを探そうという感覚を持った時点で、何をやっても苦しくなる。それが怖いのかもしれません。極限まで行こうとする自分がそうなってしまうと、限界が見えてしまいますから。自分で逃げ道を作れば『いや、オレはそこまでやってないから』って言える。つまり、楽をしようとする自分をイメージすることでモチベーションを保とうとしてるところはあるでしょうね。しかも、そうしているのは、僕じゃなくて、僕（鈴木一朗）の一部である彼（イチロー）なんですから（笑）」

まもなく、メジャー7年目のシーズンが幕を開ける。イチロー以降、日本人の野手が次々と海を渡った。時代を創った〝先駆者〟としての矜持があってもおかしくない。しかしイチローは先駆者と呼ばれることを拒む。

「だって、そんなことを僕が受け入れてしまったら、『キミはそんなに大きい存在なの』って言われてしまうでしょう。僕は自分がメジャーでやりたくて行っただけですから、結果的にどうなろうとも自分のためにやっただけなんです。後から『日本球界のためになった』とか、『先駆者』だとか、そうやっていい意味に捉えられても戸惑います。僕が先駆者だなんて、ちゃんちゃらおかしいですよ」

イチローはこちらの意図を見透かしたかのようにそう言い放って、笑っていた。

「追い詰めるって、これ以上、追い詰めようがないんだから」

［シアトルに賭ける］イチロー「7年目の本心」Sports Graphic Number 676/APR 2007

イチローのメジャー7年目。近代野球で7年連続200安打を達成したのは、ウエイド・ボッグズただ一人だ。その記録に挑む大事なシーズンになることはもちろんなのだが、同時に、イチローはこのシーズンを終えるとFA権を取得することになっていた。シアトルという街、マリナーズというチームへの想い——イチローは開幕戦を前に、「シアトルでは最後のシーズンになるかもしれない」と口にして周囲を驚かせた。その真意に迫った。

『人志松本のすべらない話』という深夜番組がある。ダウンタウンの松本人志をホスト役に、お笑い芸人の中から選りすぐられたしゃべりの達人たちが順番に〝すべらない話〟を披露していくという、いたってシンプルな番組である。イチローはこの番組が好きで、ＤＶＤもよく見ている。

「すべらない話、そのものというよりも、人を笑わせるテクニックを持ってないので、あれは僕にはとても無理です（笑）。松本さんにはお目にかかったことはないんですけど、あれこそプロの芸だと思いますよ。計算され尽くしていますし、アクシデントの笑いではないですから。トップでやる人はみんなそうなのかもしれませんけど、その中でも際立ってると思いますね。あの発想は考えられない。とんでもない才能の持ち主なんだと思いますよ」

すべらない話をどうぞと言われて、自分から話し始めなければならないこの番組のスタンスは、これまで言葉ということに関してイチローが貫いてきたスタンスと対極にある。イチローが取材を受けるときは、質問に対して、忠実すぎるのではないかと思うほど、聞かれたことにだけ反応した受け答えをする。自分から話したいことは特にないから、ブログやホームページなどを経由して発信したいメッセージも皆無。表現すべきはプレーであり、それがイチローの発する最大のメッセージである、というスタンスは徹底している。

「選手としてのスタンスを考えたら、それが基本だと僕は思ってますから。僕が言葉で答えを出さないことは、見ている人に考えてもらうための唯一の方法ですし、それは見ている人の楽しみでもあると思うんですよね」

だからこそ、正直、驚かされた。

毎年、恒例となっている開幕前日の囲み取材で、「またこの日が来ましたけれども、率直にどんな感じでしょうか」と聞かれたイチローが、いきなりこう切り出したからだ。

「ひょっとしたらね、ここでの最後のシーズンになるかもしれないので、思い切りやってやろうという気持ちです」

開幕前日の率直な気持ちを問われただけなのに、敢えて、マリナーズでの最後のシーズンになるかもしれないという刺激的なフレーズを前置きに使うなんて、前もって意識して狙っていたとしか思えない。この言葉は明らかに、イチローからの発信だった。あれほど能動的に言葉を発することを拒んできたイチローが、なぜ7年目のシーズンが始まろうというタイミングで、わざわざ自分からこんなメッセージを発したのだろうか。

「みんな、ビックリしたかなぁ（笑）。でもね、あれは僕がズルいんですよ。だって、僕にとって当たり前のことを言ってるだけですから。そりゃ、そうですよね。よく考えれば『……かもしれない』って言ってるんだから、どうとでも取れるわけでしょ。つまりは、話題提供かな（笑）。僕がこのオフ、ＦＡになるという誰もがわかり切ったことに対して、敢えてそこに入っていくのは僕としてはアリなんじゃないかって思ったんです。関心のないことに対して、わざわざそれを盛り上げようとはしませんけど、明らかに誰もがフォーカスしてるところに自分から入っていくというのはアリなんじゃないかと……」

イチローは、刺激的なフレーズを敢えて発信した理由を、単なる悪戯心《いたずらごころ》からだったと言った。ただ、それを額面通りに受け取るわけにはいかない。この前のオフだけを思い起こしてみても、イチローの言葉は明らかに変わってきているからだ。彼の心の中に、今後の野球人生を考える上での、何らかの大きな変化があったことだけは間違いないだろう。

まず、昨秋、シーズンが終わった直後のインタビューで、イチローはこう言っている。

「シアトルのファンがどんなふうに僕を支えてくれているのか、シアトルの街がどんな環境なのかを肌で感じてくれれば、僕がずっとシアトルで野球をやりたいと思う理由も伝わるんじゃないかと思うんですけど……」

マリナーズとの4年契約は残り1年。5年続けてポストシーズンに進めないマリナーズと、6年続けて結果を残してきたイチローとの間のギャップから、チームを出るべきだ、勝てるチームに移った方がいいという声が溢れていることに対しては、こうも言っている。

「勝てるチームを求めてチームを移るという考え方もあるでしょう。でも、そうじゃない考え方もある。どっちも正解なんですよ。ただ、この6年で築き上げたものは、新しいチームでは作れない。僕がシアトルにきて、この6年間で積み上げたものは、今から他のチームに行って同じ6年を費やしたとしても絶対に築けない。だったら僕は、やらせてもらえる限りはずっとシアトルでプレーしたい。今はそれ以外、考えてないですよ」

ところが今年になって、イチローは明らかに違うニュアンスの言葉を発するようになった。これも恒例となっているスプリング・トレーニング初日の囲み取材の際に、イチローはFAについて、『それについて答えられるのは今日しかない』と前置きした上で、こんなふうにコメントした。

「僕は（プロで）15年やって来て、一度もFAになったことがない。そんな選手って、たぶん、いないでしょう。ドラフトに始まって、アメリカに行きたいという気持ちを表したときも僕の意思でどこかに行けたわけではないし、今まで自分で道を選んだことはないんです。ですから今年、そういう（FAになる）可能性が生まれるってことは十分にわかっていますし、今、言えるのはそこまでかな……」

イチローはドラフトでオリックスに指名され、FA権を取得する1年前にポスティングでマリナーズに移籍した。しかしメジャーではルーキーとして扱われたため、6年間はFA権を獲得できなかった。つまりイチローは日米あわせて15年、一度もFAになったことがない。日本ではブルーウェーブ、アメリカではマリナーズ――それがあまりにも当たり前だったからこそ、誰もがイチローはシアトルに残ることを第一に考えていると思い込んでいた。

さらに、シアトルの街と球団に対する愛着について突っ込まれると、「その辺は具体的に聞いて欲しくないことだよね」と珍しく歯切れが悪い。半年前、あれほどシアトルへの想いを切々と語っていたというのにこれほどニュアンスが変わるというのは、外圧があったと考えるのが自然だろう。つまり、シーズン中は契約の話で煩わされたくないイチローに対して、オフの間に新たな契約をまとめたかったマリナーズから何らかのオファーがあり、その交渉過程がイチローを失望させ、彼の気持ちに変化をもたらした――。だとすれば、イチローが突然、FAに対して能動的な発信をするようになったことも頷ける。

そしてもう一つ、イチローの変化を考える上で避けて通れない重要なファクターがある。去年の秋にイチローが言っていた「僕がシアトルにきて、この6年間で積み上げたものは、今から他のチームに行って同じ6年を費やしたとしても絶対に築けない」という言葉に込められた想いである。そこには、イチローの希望と失望が背中あわせで込められているような気がしてならないのだ。

スプリング・トレーニング中のある日、こんなことがあった。その日のオープン戦はツーソンで行われたため、ほとんどの主力はキャンプ地のピオリアに残っていた。遠征に参加していたレギュラーは城島健司だけで、他のレギュラーの野手は全員、9時半から練習することになっていたのだが、イチローが個人的なアップのために15分前にグラウンドに現れたとき、なんとすでに練習が始まっていたのだ。驚いたイチローが何ごとかと聞いてみると、要は、さっさと練習を終わらせて早く帰りたいから、早く始めちゃおうと誰かが提案し、それに他の選手も、監督すべき立場の居残りコーチも乗った、というのである。プロ意識の欠片もない発想に対するイチローの憤りと失望は、想像に難くない。そのことと、開幕前日の囲み取材でのやりとりを連動させて考えると、イチローの心が変化した理由の一端が窺えるような気がする。ふたたび、開幕前日の囲み取材でのやり取りを再現する。

——今年はチーム全体で最も古い選手になったことを考えれば、自分のこと以外にも目を向けていかないといけないと思うが……。

「逆でしょ。むしろ、反対でしょう。どの地点で諦めないといけないかを見極めないとね。いつまでも期待していてはいけないこともあるし、また、自分に目を向けられた時に、自分がちゃんとそれに答えられる自分でいないと、それは自分に厳しくないといけないわけですから。そうでありたいです」

——自分をもっと追い詰める？

「追い詰めるって、これ以上、追い詰めようがないんだから（苦笑）。（自分にというより、他人に）余計なお世話をしないことかな」

このやりとりから感じさせられるのは、イチローの中に芽生えてしまったある種のあきらめ、絶望、失望といった感情である。だからイチローは、ＦＡになる特別なシーズンだということがイチローの何を変えるのかという問いに対して、こう言ったのだ。

「（変わるのは）僕自身の気持ちですね。悪く言えば、なりふり構わない自分でいたい。ナイスガイなんかにはなりたくないってことです。僕はこれまでも自分のスタイルで野球をやってきましたけど、今年というのは、もっと自分の世界に他人を入れないと思うし、それくらいの気持ちを持って自分の野球を表現していきたいと思っています」

イチローの失望は、マリナーズだけに向けられたものではない。それは、憧れ続けたメジャーの野球に対する失望でもある。だとすれば、イチローの次なる選択は、マリナーズにないものを求めてチームを移るのではなく、マリナーズで築けなかったものを諦めて、別の価値観の中で野球を楽しみたいという発想からもたらされるような気がする。そこから生まれてくる選択肢の中には、もちろんマリナーズ残留も含まれるし、それ以外の可能性も含まれる。いずれにしても、イチローは野球人生で初めて、自分で行き先を決める。そのことはイチローにとって、決めることができるというよりも、決めなければならないというニュアンスの方が近いのかもしれない。

「僕は基本的に楽な方が好きなんで、人に決められるのもありかなと思うんですよね。自分で選択しないで、決められたところに行かなきゃしょうがないというのはすごく楽なんですよ。自分で選ぶというのは、厳しい選択です。でも、そういうことも一度は経験しなくちゃなと思ったりもしますしね……」

イチローが、開幕を前に敢えて〝すべらない話〟を自分から発信した理由。それは、メジャーで7年を終え、自分に課した目標をすべて成し遂げたとき、日本で7年、タイトルを獲り続けて舞台を変えようとしたあのときと同じ気持ちになってしまうことを想像したからなのではなかったか。やり遂げたという満足感と、山の頂が見えなくなる喪失感——つまりは希望と失望が背中合わせに襲ってくることを承知の上で、イチローはメジャー7年目のシーズンに臨んでいる。この先、どこを目指すべきなのか、目指すべき道は本当に見つかるのか。その道は、イチローの中に未だに眠っている野性を掻き立ててくれるだけの、ワクワクするような登り坂なのか。

本当は肉食なのに、草食に見られたいと言っていたイチローが、肉食の本性を顕わにするメジャー7年目。はやる気持ちを抑えきれないイチローは、開幕戦のフィールドに、真っ先に飛び出した。仮の坊主頭には原点回帰とか初心に戻るというようなセンチメンタルな意味合いはない。むしろ、そこにはイチローの中に秘められた、新たなる野心が込められている気がしてならないのだが——。

「あの瞬間というのはいろんな想いがあったので、ジーンとしましたね」

［初対決の真実］イチローvs.松坂大輔「4打数無安打の意味」Sports Graphic Number 677/MAY 2007

7年ぶりに実現した、「天才対怪物」。松坂大輔がレッドソックスに入団して、イチローとの対決がメジャーの舞台で再現されることになった。イチローを追ってメジャーを目指してきた松坂は、ずっとイチローを仰ぎ見てきた。イチローもまた、甲子園から神懸かったピッチングを披露してきた松坂を認め、対決を心待ちにしてきた。18・44メートルの距離をあけて7年ぶりに対峙したとき、天才と怪物は、果たして何を考えていたのだろうか。

ボストンの午後2時。

イチローが宿泊しているホテルのロビーに降りてきた。この街でナイトゲームを行うときの、いつものルーティーン。ホテルから外に出ることなく、そのままショッピングモールに繋がるブリッジを早足で歩いて、決まったイタリアンレストランに出向く。そこではメニューを開くこともなく、必ずコーラとチーズピザを頼んで、それを残さずに食べる。ランチを終えて時間に余裕があれば、ホテルへ戻る道すがら、モールのお気に入りの店に立ち寄って、買い物をすることもある。

4月11日も、それは何も変わることはなかった。ただ、あえていつもと違うところを挙げるならば、会話の中にしばしば出てきた「大輔」のフレーズだろうか。

食事をしながら、前夜のフェンウェイでのホームオープナーのセレモニーの話になる。

「大輔はもうこの街を歩いていたら、普通に気づかれちゃうのかな」

買い物をしながら、靴の話題になる。

「大輔は、こういう靴は履かないのかなぁ」

レッドソックスの帽子をかぶった女性にサインを求められると、茶化してみせる。

「大輔って書いてやろうかな（笑）」

イチローの心の中に棲みついて離れない、そんな存在。メジャーでの初対決を5時間後に控えて、7つも下の小生意気な、それでいて憎めないピッチャーのことを、イチローがどれほど気に掛けているのかということがよくわかる。イチローにとっては特別な、そしてこれからも特別であり続けて欲しい存在。それが、松坂大輔というピッチャーだった。イチローは以前、松坂についてこんな話をしていたことがあった。

「僕にとっての大輔……やっぱり、選手としてあれだけの興味を湧かせてくれる選手というのはなかなか出てきませんよね。大輔の場合は、甲子園から〝横浜高校の松坂〟って存在は気になってましたからね。僕にはね、彼のようなことができなかったんですよ。高校の時、甲子園で大活躍して、ドラフト1位でプロ野球に入った選手ではないし、〝名電の鈴木〟なんて、名古屋の一部の人しか知らない選手でしたから（苦笑）。だから、大輔がピッチャーというポジションで高校時代からああいうふうな活躍をしていて、ちょっと、いいな、というのはあったんでしょうね。僕もピッチャーになりたかったし、もちろん松坂大輔に憧れはしないですけど（笑）、ジェラシーまではいかないにしても、羨ましいという気持ちはありました」

自分の奥底に眠っているものを覚醒させて欲しいとまで、イチローに言わしめた松坂。初対決は1999年5月16日、雨の西武ドームだった。空振り、見逃し、またも空振りの、3打席連続三振——高卒ルーキーが5年連続リーディングヒッターに挑んだ伝説のバトル、その第1ラウンドは松坂の圧勝で終わった。あの日、溢れんばかりのアドレナリンが吹き出ていた荒々しい松坂の姿は、今のイチローの脳裏に焼き付いて離れない。

「僕は大輔と日本で何打席、対戦してるんだっけ？　36？　そんなに立ってるの。そうですか……まぁ、対戦成績でいえばアイツが圧倒的に勝ってるわけだし（34打数8安打）、大輔をもっと打ってる選手は実際にいるわけですから、そういう選手の名前が挙がってもおかしくないわけでしょ。それでもアイツは僕の名前を挙げてくれる。もちろんピッチャーとバッターの間で感じることって、結果だけではない空気感はあるんですけど、でも、大輔が僕に対して特別な感情を抱いてくれているとしたら、それ以外に直接、交わした言葉とか、会ったときに感じたこととか、そんな要素もあるのかなと思いますね」

こちらも、午後2時。

松坂はボストン郊外の自宅を出た。慣れない道を自分で運転して、フェンウェイ・パークへと向かっていた。まだボストンに来てたったの3日目。一度だけは外食に出掛けたものの、自宅と球場の往復だけでは街のボストニアンたちがいかに〝DICE-K〟の存在に熱狂しているのかを、まだ肌で感じることはできていなかった。初登板を終えた松坂が、こんなふうに話していた。

「フェンウェイでの初登板は、みんなにどういう反応をされるのか、楽しみでもあり、不安でもありますね。まぁ、最初に一つ、勝ってますから、さすがにブーイングはないと思うんですけど（苦笑）」

　松坂は、初めて投げることになるボストンの聖地について、こんな話もしていた。

「今、思い出してもカンザスシティでの初登板のときのことは、僕には何も残ってないですよ。ここに立てたとか、ここに来られたって気持ちは何もなかった。でも、やっぱりフェンウェイは特別な場所ですね。昨日のオープニングセレモニーのとき、あれだけの歓声を送られてゾワゾワっとしましたもん。メジャーリーガー、特にピッチャーにとってはそうでしょう。あのサイ・ヤングが投げてたんだし、ロジャー・クレメンスもペドロ・マルティネスも……それに、あのベーブ・ルースも投げたマウンドですからね」

　午後2時21分。フェンウェイ・パークの狭い選手用の駐車場に車を止めた松坂は、金網越しに見つめるファンの呼びかけにも応えることなく、球場内へと入っていった。松坂が見据える視線の先には、常にバットを高々と掲げるイチローの幻影が浮かんでいた。

「僕がね、いや、高校生の頃からずっと対戦したいと思い続けていたような僕たちの側がね、イチローさんっていう相手を意識するのは当たり前っていえば当たり前じゃないですか。問題は、自分が想う相手に想ってもらえるかってことですから。これは恋愛でもそうですけど、相手に振り向いてもらえるかっていうのは大事なことでしょう。イチローさんには僕の気持ちが通じたってことですかね。だったら、恋愛と一緒だ（笑）。いろんなバッターがいる中で、イチローさんは僕の中ではものすごく、全然、ホントに、別の人間なんです。僕のそういう想いが伝わったのかもしれないですよね。僕はその気持ちをボールに乗せて投げるので、それをイチローさんが感じ取ってくれたのかもしれませんから」

　松坂がイチローに抱く恋愛にも似た感情。

　イチローが松坂に抱く嫉妬にも近い感情。

　だからこそ、二人の対決は爽やかな青春ドラマにもなるし、ドロドロの恋愛ドラマにもなり得る。特別な想いを抱く二人がフェンウェイの同じフィールドに現れたとき、その仕草は対照的だった。

　松坂は、イチローを見ようとしない。

　三塁側ベンチからネクストバッターズサークルまで、肩で風を切って歩いてくるイチローのことは「探そうとしなかった」という松坂は、イチローには目もくれず、キャッチャーのバリテックだけを見て、試合前の8球のピッチング練習を続けている。

　イチローは、松坂をジッと見ていた。

　もともと初めて対戦するピッチャーに関しては、ネクストバッターズサークルで直に見て目で情報を集めようとするイチローだが、「それも半分、大輔だったからというのも半分あった」と言うほど意識して、マウンド上の松坂を見つめていた。

冷たい椅子に座る気にもなれないフェンウェイの観客は、総立ちで二人の日本人を迎えた。興奮はこのとき、沸点に達した。

「あの瞬間というのはいろんな想いがあったので、ジーンとしましたね」（イチロー）

「やっぱり、ああ、オレが待ってたのはこの瞬間なんだって、想いましたよ」（松坂）

武者震いを感じていた松坂は、高校時代に抱いた、刀を持って斬りつけてくるサムライのイメージをイチローに重ねていた。

打席に入ったときは雑念もなく、まっさらだったというイチローは、18歳の頃の猛々しい荒馬のような松坂の姿を期待していた。

イチローがバットを高々と掲げる。

そして、松坂がゆっくりと振りかぶる。

フラッシュが一斉に光った、初球――。

このとき、松坂が投げたカーブという選択については、日本の酒場でもアメリカのスポーツバーでも、賛否両論、いろんな声があっただろう。

大人になった松坂の本気と受け止めたい気持ちもある。だからこそ、感傷に浸っていたイチローに「どこでスイッチを切り替えたのか」と訊いたら、彼も「1球目のカーブを見た時ですね。ちょっと冷めました」と苦笑いを浮かべていたのだろう。一方で、二度とない初対決の一球なんだから、結果はどうあれ、狙われているとわかってるところへ敢えてストレートを投げて欲しかったという気持ちも捨てきれない。実際、試合後の松坂も、「自分のボールに自信がないから変化球でいっちゃったんでしょうね」と悔やんでいた。

8年前、ストレートとスライダーだけで3三振を奪った松坂は、この日、カーブ、カットボール、チェンジアップ、フォークまで使って、イチローをピッチャーゴロ、センターフライ、三振、セカンドゴロの4打数ノーヒットに抑えた。あらゆる球種を駆使してイチローを打ち取ろうとした松坂が、一度も芯を喰わずにイチローを凡退させた結果を見れば、この勝負は松坂が勝ったと言えるだろう。しかし、イチローが狙っているとわかっているところへ敢えて狙っているボールを投げ込めなかった松坂のピッチング内容を見れば、イチローはまだ松坂に負けたとは言えない。

野球の神様のイタズラか、翌日の雨で延期になったフェンウェイでのこのカードが、5月3日に組みこまれた。ここで二人が再び相まみえる可能性は、十分にある。二度目の対決にはもう、感傷の入り込む余地はない。

「おいおい、足痛いのに、回すのかよ〜ッ」

［MLBオールスター秘話］「7年目のMVP」Sports Graphic Number 683/AUG 2007

オールスター史上初の、ランニングホームラン——三塁ベースを蹴ったときのイチローのシルエットは、まさに〝ミッドサマー・クラシック〟のMVPにふさわしい、芸術作品だった。イチロー自身にとっても初めてのランニングホームランを、よりによってオールスターという大舞台で打ってしまうのだから、恐れ入る。しかし、三塁ベースを蹴ったイチローは、誰もが想像もしない言葉を心の中で叫んでいた。果たして、その言葉とは……。

イチローは、今年もオールスターゲームの主役だった。

それは、結果的にMVPを獲得したからということではない。マニー・ラミレス（レッドソックス）は、またもイチローを捕まえて「打つとき、どうしても顔が前に動いちゃうんだけど、どうしたらいいんだ」と、相談を持ちかけてきた。アレックス・ロドリゲス（ヤンキース）はイチローに教えてもらったアップの方法を「今もあれでいいのか」と確認にやって来た。カール・クロフォード（デビルレイズ）やグレイディ・サイズモア（インディアンズ）までもが、イチローのもとへやってきて、あれこれと質問攻めにしていた。

これは、試合開始前のことだ。ア・リーグのクラブハウスで行われたチーム・ミーティングで、ジム・リーランド監督（タイガース）の話がひとしきり続いたあと、最後に選手たちに「誰か、他に何かないか」と訊ねた。すると、デイビッド・オルティス（レッドソックス）が名乗りを上げた。彼は「話したいことがある」と切り出すと、こう続けた。

「今年もイチローに話をさせろ〜ッ」

最近のア・リーグで恒例になっている、イチローの〝檄〟。今年も常連メンバーの一人、オルティスがイチローに水を向けた。盛り上がる選手たちの輪の中心に向かって、イチローがのっしのっしと歩いていく。

「ヘイ、みんな、よく聞けよ」

さすがに役者はこういうときに盛り上げる術をよく知っている。イチローが何をするのか知っている選手たちは笑いを必死で押し殺しながら、また初めての選手たちは何が起こるのかと息を呑んでイチローの言葉を待つ。

「×●▲×●▲×●▲～!!」

……申し訳ないが、その言葉を誌面で忠実に再現することはできない。なぜなら、そこにはいわゆるFワードも含まれているからだ。しかし、ア・リーグの選手たちは今年もイチローの粋な英語による檄に乗せられて、フィールドへと飛び出していった。イチローがこの檄を飛ばすようになって、ア・リーグは勝ち続けている。

しかも逆転打は、イチローのバットから生まれた。ア・リーグが1点を追っていた5回、ワンアウト一塁でこの試合、3度目の打席に立ったイチローは、クリス・ヤング（パドレス）の投じた初球、インサイド低めのまっすぐを、綺麗な角度でライトへと打ち上げた。しかし、走り始めた瞬間、イチローの右足の親指からはジンジン、激しい痛みが伝わってきた。それでも打球がライトのフェンスに当たって思わぬ方向へ跳ね返ると、イチローはギアをトップに入れて走り始める。二塁を回って三塁へ向かうと、腕を回すベースコーチの姿がイチローの目に飛び込んできた。

「おいおい、足痛いのに、回すのかよ～ッ」

その2日前――。

イチローはサンフランシスコで買い物を楽しんでいた。そのときのイチローは、右足を引きずっていた。そして歩きながら、決して大袈裟でも何でもなく、20回はこの同じ言葉を繰り返していた。

「ああ、自打球、当てたところが痛い～」

オールスター前の最終戦、マリナーズはアスレチックスとオークランドで戦った。その最終打席、イチローはとんでもなく低めの、ワンバウンドになりそうな変化球を打ちにいって、その打球を右足の親指のところに当てた。

「あれはヒットにできると思って、打ちにいってますから。もし次に同じようなボールが来たら、必ずヒットにしてやりますよ」

自打球によるこのケガは、打撲ではなく裂傷で、傷口が化膿してしまっていた。それでもすぐに治ると思って放っておいたら、日を追うごとに痛みは増してきた。歩くのもままならないほどの痛みだったのに、よくギアをトップに入れられたものだと驚いて訊くと、こともなげにこう言った。

「二塁の手前まで来ると、体に任せちゃえばそのまま行ってくれるんですよ。だから力を入れて走るというより、力を抜いているという感じかな。流れに任せて体がスーッと乗っていっちゃうから、痛みも感じないしね」

イチローが放った、オールスター史上初の〝インサイド・ザ・パーク・ホームラン〟。いわゆる、ランニングホームランである。

「でも、実は僕にとってもランニングホームランは初めてなんです。（スタンドまで）行ったかなあと思ったんですけど、行ってくれなくて、相当、へこんでますよ、僕（笑）」

試合後、シアトルにいた城島健司からもらったお祝いの電話でも、イチローはやはり「オレ、へこんでるよ」と、打ったボールを柵越えさせられなかった自分を貶《おとし》めていた。とはいえ、この日にイチローが打った3本のヒットは、どれも違った味わいのある、この3本でイチローを語り尽くせるのではないかと思えてしまうほど、中身の濃いヒットだった。

1本目は、ジェイク・ピービー（パドレス）のナスティなファストボールを綺麗にライト前へ弾き返した。2本目は、ベン・シーツ（ブリュワーズ）のワンバウンドしそうな外角のカーブを捉えた、レフト前へのヒット。コースこそ違うものの、自打球を当てたときのボールと同じように、とんでもなく低い球に対して手首を返さずにバットを出すことで角度をつけて打ち上げることができる、イチローならではのバッティング。自打球を当てた悔しさからか「次は必ずヒットにしてやります」と言ったイチローの言葉通り、まさに高度な技術を見せつけた、彼ならではのヒットだった。そして3本目が、あわや柵越えかという角度で上がって、ライトのフェンスを直撃したランニングホームランだ。3打数3安打、メジャー史上初のおまけまで付いて、イチローは文句なしに、MVPを獲得した。

「今年は、どれも作品という感じのヒットでしたね。いっぱいいっぱいのヒットではないです。それによって、過去6年間とは違う自分がいるということをこのオールスターでも感じることができましたから、それが個人的には嬉しかったですね。今シーズンはちょっと違うんですよ。今までの重苦しい感覚から抜け出しつつあるので、これまでの6年とは明らかに違う自分が球場に立っています」

過去6年間とは明らかに違う自分——今シーズンのイチローが時折、口にする言葉だ。それはいったい、何を指しているのだろう。

核心に触れることができたのは、打席での立ち位置について訊ねたときだった。

ある時期から気になっていたのだが、今シーズンのイチローは、少しベースから離れて立っているのではないか。そう訊いたら、イチローは、あっさりとその事実を認めた。

「うん、4月からずっとですよ」

やはり……それも、そんなに早い時期からだったとは……果たして、その立ち位置にはどんな意図があったのか。

「意図？　いや、弓子に言われたからさ」

イチローはそう言って、いつものように大きく口を開けて、楽しそうに笑った。

あれは、4月13日のことだ。

アスレチックスとの開幕3連戦をいい感じで滑り出しながら、クリーブランドへの遠征でインディアンズとの4試合が雪などの悪天候ですべて中止となってしまい、イチローの中で何かが狂ってしまった。その後、松坂大輔との初対決で盛り上がったボストンでのレッドソックスとの2試合、シアトルに戻ってきてレンジャーズと戦った初戦の、あわせて3試合。イチローは3試合ともノーヒットに終わっただけでなく、12打数で実に7つの三振を喫した。もちろん、異常事態である。

家に帰ったイチローは落ち込んでいた。どうしようもなくなると、イチローは妻の弓子さんにまず訊くことにしている。

「9月だったらこういうこともあるけど、こんな時期から……ボールがバットに当たらないんだよね。それがなぜだかわからないんだけど、なんか、オレ、いつもと違うかな」

イチローに訊かれた弓子さんは、テレビを見て感じていたことを素直に言葉にした。

「ベースからの距離がちょっと近いよね」

イチローは、ハッとした。

そして、「やってみようかな」と呟くと、次の日の練習で試してみた。実に靴半分ほども、ベースから離れたというのだ。

「これ、ホントの話なんです（笑）。彼女はよく見てくれているんですよね。しかも素人だから、見方が純粋なんです。もともと僕はベースの近めに立つのが基本ですから、そこから重心をどっちに移動しようか、考えるわけですよ。打っていくときに右足を引き気味にするのか、それとも思い切り踏み込んでいくのか。でも弓子にそう言われて、結果が出ていないこともあったし、ちょっとやってみようと思って、ベースからだいぶ離れてみたんです。そうしたら、結局は全部のボールに踏み込んでいけるわけですよ。それでいて、外角が遠く見えるわけでもない。たとえばベースの近くに立って、このピッチャーはインサイドのスライダーがいいからって右足を引き気味にして打とうとすると、外はすごく遠く感じるでしょう。それよりもベースから離れて立って、踏み込んでいった方がその感覚はないんです。だったらリスクはないなと思って……そうしたらバッターボックスからの景色が変わりましたからね」

オールスターを観戦に来ていた弓子さんは、試合後、フィールドでMVPの表彰を受けるイチローの姿を、スタンドの最前列からずっと見つめていた。バッターボックスからの景色を一変させるアドバイスをしたことを訊くと、彼女は照れくさそうに笑った。

「そんな、私は見て感じたことを言っただけですから。それよりも、素人の私が言ったことを実行してみようと思うことに驚きます」

メジャー7年目——。

1年目にいきなりリーグMVPと首位打者、新人王を獲り、4年目にはシーズン最多安打の記録を塗り替え、6年目にはWBCで日本を世界一に導いた。その間、6年連続でシーズン200安打、30盗塁、100得点、ゴールドグラブ獲得を続け、またオールスター出場を7年連続で成し遂げた。そのオールスターで、MVPを獲得。イチローは常に新しい刺激を提供して、見るものがイチローの凄さにマヒしてしまうことを許さない。もちろん、イチローはまだまだ次なるムチをしならせて、野球好きを刺激しようとする。

「せっかくアメリカン・リーグが勝ってアドバンテージをとったわけですから、〝ナントカシリーズに行ってみたいもんですよねぇ」

オールスターで勝ったリーグのチャンピオンチームが、ホーム・アドバンテージを得る。つまり、まさか、マリナーズがワールドシリーズの第1戦を、シアトルで戦うなんてことがあり得るのか——。

「可能性はありますよ。6月の頭に10試合で9つ勝ったときは、あんなに勝ったのにアナハイムとの差が縮まらなかったことで、みんな、けっこうガックリきてましたけど、そこから持ち直しましたからね」

6月下旬から8連勝、前半戦の最後は苦手としていたアスレチックスに3連勝するなど、一時は8ゲームも離れていた首位エンゼルスとのゲーム差を、2・5差にまで縮めた。しかも、後半戦が始まってすぐ、イチローはマリナーズとの契約を5年、延長したことを発表。イチローもマリナーズも、腰を据えて戦える環境は整ったと言っていい。

オールスターのMVPに続くシナリオは、イチローの263安打か、はたまたマリナーズのワールドシリーズ進出か——。

「そんなこと、簡単に言いやがって……でも僕は、何かを持ってるなんて自分からは絶対に言いませんよ（笑）」

それでもイチローは、吹く風を追い風に変える〝何か〟を持っている。

「なぜならこれまで僕は野球選手として、何かをやったという達成感が残っていないからです」

［新境地を語る］イチロー「17年目のスタートライン」Sports Graphic Number 691/NOV 2007

日本で7年連続首位打者を獲得し、メジャーで7年連続200安打を達成した。自らに課した数字を毎年、クリアしながら、それでもメジャーではトップに立ち続けることは出来ない。シーズン終盤、初めて他の選手の背中を意識して首位打者を〝獲りにいった〟イチローは、その目標を叶えることができず、シーズンが終わって、「完敗」だったと口にした。あまりに似つかわしくない言葉を口にしたイチローには、ある想いが秘められていた。

これまでと違う感情が、イチローの全身を包んでいた。フィールドの上で、しかも試合中、こんなふうにこみ上げてくる想いが何なのかを理解できなかったことはない——。

9月29日、マリナーズの今シーズン、161試合目となるレンジャーズ戦。6回表の守備についたイチローは、初めて味わう屈辱感に打ち震えていた。その直前の5回裏、イチローはヒットを打つことだけを自らに課して、打席に立った。

第3打席、相手はケビン・ミルウッド。2—2からの5球目、イチローは外角のカーブを捉えた。イメージの中で完璧に捉え、ヒットにできるという揺るぎない自信を持ってバットを振りながら、イチローの打球はショートの正面に転がった。結果は、ショートゴロ。このわずか1打席の結果が、イチローの心をかき乱したのである。

「わからないんです。ヒットだと思って打ちに行って、それが打ち損じになったとき、どうしてそうなってしまったのかっていうのは、出ないんですよ、答えが……」

完敗——。

翌9月30日、シーズンを終えて記者に囲まれたイチローは、3度目の首位打者にあと一歩、届かなかったことを問われて、「完敗」という言葉を使った。その言葉がやけに耳に残った。イチローが、このような強い調子で、自らの負けを認めた記憶がなかったからだ。3割、200安打、100得点、30盗塁を7年連続で綺麗に揃え、オールスターではMVPを獲得。

シーズン途中には5年で100億円を超える契約も交わし、光り輝くだけだったシーズンを振り返った時、イチローの口をついて出た、あまりに似つかわしくない言葉。イチローは、こう言っていた。

「昨日の時点で、完敗。完敗でした。まさか僕が逆転した時点で、これだけの差をつけられて自分が負けるなんて、まったく想像していませんでした。僕が抜いたとき、相手がそこから打率を上げてくるのは不可能だと思ってましたし、よくてキープって想像していたんですけど、さらに1分近く上げてきたわけですから、驚きました」

イチローが「相手」といったのは、タイガースのマグリオ・オルドネスのことだ。9月19日、イチローは打率を・354として、それまでトップを走っていたオルドネスの打率・353を抜いた。その日、イチローは「そりゃあ、一番になりたいよ」と、首位打者への意欲をハッキリと口にした。すでに7年連続200安打を達成し、自分自身の状態にこれまでのどのシーズンとも違う手応えを感じていたイチローは、メジャー7年目のシーズン終盤、首位打者を狙って獲りにいくというプレッシャーを初めて自らに課し、それを敢えて言葉にした。これまでイチローは、ヒットを積み重ねていくことに価値を見出してきた。それは、打率に目を向けると、率を下げたくないという気持ちから打席に立ちたくなくなるかもしれないというリスクを恐れてのことだった。しかし今年、敢えて打率を意識した、その理由はどこにあったのか。

「それは、自分の可能性を感じてたからでしょう。器という意味でね。それ（打率）を意識しても今シーズンの自分は変わらない。その上で（オルドネスを）倒したいと思ってたから、倒しに行ったんです。今まで結果として負けたことは何回もありますけど、野球って逃げようと思えばいくらでも逃げられますからね。結果として負けていても自分の姿勢が前に行っていれば負けてない、みたいなことをいくらでも言えてしまうんです。だから、越えられるかどうかがわからないくらいのいろんなことを自分に課してきて、ほとんど、越えてきた。今回も、そうだったんです。打率で言えば、・333から打率を上げられるのは、限られた選手です。しかも、これまでに首位打者を獲ったことのない選手が、そこから1分近くも打率を上げてくるなんてことは、僕には想像できませんでした」

トップに立ってから10日の間、イチローは10試合で45打数14安打、3割を越えるペースでヒットを打ち続けた。その結果、打率は・351となり、イチローのイメージの中では十分に勝算のある戦いになるはずだった。しかし、オルドネスはその10日間で6試合に出場し、なんと22打数12安打と打ちまくって、打率を・360まで上げてきたのである。

「僕のペースは決して悪くなかったし、自分のパフォーマンスも変わりがなかったわけで、プレッシャーへ挑んだ自分がそれに負けたかというと、そうではないと思います。でも、結果的に相手の数字が上をいってしまった。そういう意味で負けたということです。今年、僕は重荷にできるものをすべて重荷にしてきて、ほとんどクリアしてきたんですけど、でも最後にマグリオ・オルドネスという重荷を課したときに、それを越えられませんでした。僕は明らかに彼を意識して、彼を倒したいと思いましたからね。だから負けです」

オルドネスの打率に届かない現実を思い知らされたあの時、イチローは負けを受け入れざるを得なかった。イチローの次のバッター、2番のエイドリアン・ベルトレが初球を打ってチェンジとなり、守りにつかなければならなかったイチローは、完敗の現実をすぐに整理できず、フィールドの上でこみ上げてくる想いを抑えることができなかったのである。イチローが、初めて負けを認めた瞬間——。

「最後の3試合で、凡退できるのは3つだと覚悟して向かったのはハッキリ憶えています。それ以外はすべてヒットにしなくてはいけない。15打数12安打のイメージですよね。でも去年までの僕だったら15の12なんてイメージはとてもできなかったし、1試合に4本を打つイメージも持てなかった。それが今回は、5の5を打たなければいけない状況でもあきらめなかったと思います。その時と今とでは、明らかに僕自身のレベルが違うんです」

日本で7年続けて首位打者を獲り続け、メジャーでも7年続けて200本を越えるヒットを打ち続けて、それでもなおレベルが上がる余地があるというのだから驚きだ。今年の進化を探るキーワードは、〝メンタルの先にある技術〟ということになる。

何年か前までのイチローは、200本のヒットが近づくたびに深刻なプレッシャーと対峙してきた。そのたびに、いかにすればプレッシャーを克服できるのか、その方法を模索した。しかし、200本が近づかない限りは同じ状況を再現できない以上、あれこれと試行錯誤をすることもできない。続けてきたものがゼロになるかもしれないという恐怖は、4、5、6年と、記録が伸びていくごとに増していく。重くなる一方のプレッシャーが肉体に狂いを生じさせる、つまりメンタルが技術に影響を及ぼすことを体感していたイチローは、プレッシャーを取り除くことばかりを考えていた。しかし、去年あたりから、イチローは冗談めかして「プレッシャーを克服するなんて、無理だね」と、ベクトルの向きを改めた。プレッシャーはあるものとして、それでも狂いをいかに最小限に留めるか、その最善の方法論は、やはり技術にあると考えるようになったのである。

「達成寸前、170本を迎えるあたりだと思うんですけど、この辺りでいつも、何年も続けてやってきたものがゼロになるかもしれないという恐怖を想像してしまうんです。でも今年は、技術的にマイナスだったものをゼロにできたという確信がありましたから、170本に達した時点で『今日から始まるぞ』ということを強烈に意識しました。何かを越えようと思ったら意識をしなくてはいけないと僕は常に思っていますし、自分の可能性も感じていたので、今年はあえて意識を強く持って、自分に余計なプレッシャーをかけてやれという気持ちで170本目を迎えたんです。そうしたら、打席での感覚がまったく変わらないんですよ。ボールの見え方、2ストライク後の気持ちの追い込まれ方、まったく変わらない自分をいつも感じていました」

プレッシャーをかけても変わらない自分でいられる技術的な裏付けは、何か新しいプラスのものを身につけたというのではなく、これまでマイナスだったものをゼロに戻せたこと――イチローはシーズン中、このフレーズを口にしていた。いったい何がマイナスで、それをどうゼロにしたというのか。イチローは、MVPを獲得したオールスターゲームの直前、こんなことを言っていた。

「結果が出ていないこともあったし、弓子にそう言われてちょっとやってみようと思って、ホームベースからだいぶ離れてみたんです。そうしたら、結局は全部のボールに踏み込んでいけるんですよ。それでいて外角が遠く見えるわけでもない。バッターボックスからの景色が劇的に変わりましたからね」

シーズン序盤、思うようにボールを捉えられずに追い詰められたイチローは、必ず試合を見ている妻の弓子さんに、「ボールがバットに当たらない理由がどうしてもわからないんだよ……何か、いつもと違うところがあるのかな」と、切り出してみた。イチローがそんなふうに訊いてくるのは余程のことだと感じた弓子さんは、当時、感じていたことを率直に指摘した。

それは、ベースからの距離がいつもよりちょっと近いんじゃないか、ということだった。そのとき、敢えてベースに近づいて立とうとする意識を持っていたイチローは、弓子さんの言葉に『ベースに近づいたことでマイナスが生まれていたのかもしれない』と気づいたのである。そこでイチローは、以前にも増してベースから離れてみた。その結果、打席からの風景が一変した。この試みは、マイナスをゼロに戻すための重要なプロセスの一つだった。ではイチローはなぜ、敢えてベースに近づこうとしていたのか。

「ストライクゾーンが広いからです」

メジャーでこれだけ突出した数字を続けてくると、淘汰しようとする力が働くのか、審判の判定が極端に厳しくなる。まるで、『いいじゃないか、お前はそれでも打てるだろ』とでも言いたげな、極端に広いゾーン。イチローにそう言うと、「そりゃ、打てますよ、打てますけど、だから広くするなんてありえないでしょう」と半ば自棄《やけ》気味。イチローの敵はピッチャーだけにあらず、アウトコースを極端に広く取る審判さえも数字を残すために越えなければならない存在になっていた。だから、アウトコースに対応するために、ベースに近づかざるを得なかったのだ。実はその際、イチローはベースに近づくだけでなく、バッティングフォームも変えている。それは、近づいたがゆえに難しくなるはずのインコースへのボールに対応するための工夫だった。

「ベースに近づいた位置で懐を広くしてインコースを捌くために、お腹を引っ込めたんです。背中を丸めたという表現を聞いたことがありますけど、そうではなくて、僕はお腹を引っ込めたんですよ。あの形でインコースを捌けると思ったんですけど、でも結果が出なくて、それは間違いだったと認めないわけにはいかなかった。そんな時、弓子にああやって言ってもらって、いいチャンスだなと思ったんです。いい感触をまったく得られていなかったので、元に戻すだけでなく、前よりももっと離れてみようと……何か新しいことをやるチャンスだと思ったんでしょうね」

離れてみたら、インコースへの対応は問題なくなり、お腹を引っ込める必要もなくなった。届かない、届かないと思っていたアウトコースも、離れることで思い切って踏み込めるようになり、意外に届くことに気づいた。それも、ベースに近づくことで踏み込んだ右足がバッターボックスからはみ出してしまうかもしれないことを気にして、思い切って踏み込むことができないでいたからだった。

「踏み込む位置というのは、ピッチャーのステップと同じで変えることは困難なんです。すごくリスクを伴う。自然な動きですから、意識をしないと変えられません。だから、ベースの近くで踏み込んでいくと、（足がバッターボックスから出ないようにするなどの）余分なテクニックを出していかなくてはいけなくなる。そこが明らかにマイナスになります。しかもステップの位置を意識すると、カカト重心になって、外角はさらに遠く見えてしまう。要するに、踏み込む位置に意識がいっていること自体が問題なんです。それ以外のところが散漫になりますからね。さらに言えば、前に行き過ぎて踏み込みすぎると、バッターボックスから足が出てしまうことで自分の体はボールだと判断しても、実際にはストライクだったりすることがあります。これで僕は、余分な、いわばマイナスのストライクゾーンを抱えることになってしまいました。それが、ベースから離れたことで、ステップに関しても自然な形に戻すことができたし、何も気にせずに踏み込むことで外も遠く感じなくなった、ボール球のインコースもストライクのコールにならなくなる……そういう、いろんなマイナスをゼロにできたのが大きかったということなんです」

プレッシャーを克服するための、メンタルの先の技術に初めての手応えを感じ、7年連続200安打を、メンタルの狂いに起因する技術的な変調を自覚することなく通過した。最後に課したオルドネスという重荷にも、変わらないパフォーマンスを発揮することができた。それでも首位打者に届かず、初めて自分で負けを認めた、7年目のイチロー——それもこれもすべて、イチローの〝器〟が大きくなっていることの何よりの証だろう。

「僕は今年で日米あわせて16年、プレーしました。16年もプレーして、今、ようやくスタート地点に立ったという気がしているんです。これまで、いろんな数字を残してきて、これから先のモチベーションを保てるのかといろんな人に訊かれるんですけど、僕はそこについてはまったく心配していません。なぜならこれまで僕は野球選手として、何かをやったという達成感が残っていないからです」

これまでのイチローに達成感がなかったなんて、俄には信じ難い。イチローが求める〝達成感〟とは、いったい何を指しているのか。

「もちろん数字を残すことは大前提として、何かをやりたいと思ったときに、それができるかどうかわからないまま、半々の状態で結果としてできてしまったというのでは、達成感は残りません。やりたいことをしっかりとイメージして、自分の中で組み立てて、それなら7、8割はできるはずだ、という中で実際にできた、というところまでいけば気持ちがいいし、達成感は残ると思います。今年、首位打者を獲れなかったことも、オルドネスを倒したいと意識しないまま、ただ獲れなかったのと、それを意識しても獲れなかったというのとでは、僕の中ではまったく違うんです。これは僕の中でしかわからないことだと思いますけど、やりたいことを意識して、それで獲る、というところの達成感を味わえれば、気持ちがいいじゃないですか。僕は今、その可能性を十分に感じていますし、僕を見てくれているファンの人に、何かを提供できるような気がしています」

意識してできたのか、意識せずにできてしまったのか――そんな違いまでも追い求めるイチローの内なる戦いは、プレイヤーとしての可能性を限りなく広げるのだという。なぜなら、すべてをプラン通りにクリアしていくことで生まれる余裕を、プレーのクオリティを上げることに生かせるからだ。そして初めて味わわされた完敗さえもが、イチローのモチベーションに火をつけてくれた。

何もかも呑み込んで濃密になっていく、イチロー。来年、プロ17年目を迎える彼は、すでにシアトルで始動している。やっとスタートラインに立てた喜びとともに——。

2007年成績　161試合　678打数（リーグ1位）238安打（リーグ1位）6本塁打　68打点　打率・351　37盗塁　シルバースラッガー賞　ゴールドグラブ賞　オールスター選出

IV

結実

2008-2010

「去年の涙は、悔しさがすべてではない」

［特別な一日］「敗北感と涙の先に――イチローを襲ったはじめての感情」
Sports Graphic Number 700/APR 2008

イチローにとっての「特別な一日」を問うたとき、彼は「僕には特別な一日はない」と言った。そして「特別な一日はないけど、何かを感じた一日ならある」と言って、その中のある一日の出来事について話し始めた。キーワードは、涙――イチローがフィールドの上で涙を流した日があった。その時、彼を包んだ感情とは、いったいどんなものだったのか。弱さと強さを、時には隠し、時には晒そうとするイチローが、弱い自分を晒してくれた。

特別な一日は、いつか。

イチローにそう訊ねると、彼はしばらく押し黙ったあと、こう言った。

「特別な一日ですか……ないですね。この日は特別なのかなと周りの人が思う日はあったとしても、それは僕にとって特別なわけではありません。僕の中には特別なものとしては残ってないんです。だからこのテーマは僕にはふさわしくないですよ」

Ｎｕｍｂｅｒがイチローに、これまでのベストゲームはどれかと問えば、ベストゲームなどないと言われ、先駆者としてどうかと問いかければ、先駆者という自覚はないと切り返される。

そして、特別な一日などはないと、これも真っ向から否定されてしまった。イチローに、言葉で括ったテーマは与えるべきではないのかもしれない。イチローは〝特別〟という言葉を安易に使わない。オリックスで２１０安打を打った日も、阪神大震災を乗り越えてリーグ制覇を果たした日も、初めての日本一を勝ち取った日も、今のイチローは「特別な感じはしない」と言い切る。メジャー1年目に首位打者を確定させた日も、ＭＶＰを獲得した日も、さらには２５７安打という当時のシーズン最多安打の記録を塗り替えた日も、そしてＷＢＣで日本代表を世界一に導いた日も——。

「特別って言われても、たぶん、それって僕の中には普通にあることなんですよね。そういうふうに人が言う特別なことを、僕は特別だとは捉えていない。何かを感じた日とか、感性をくすぐられた日というなら、たくさんあると思いますけど、それも一瞬のことですからね。いろんなことがあったとしても、今では別にどうっていうことはない。一つのことを超えたとき、僕はその次のステージに行けたとは思いませんから。それは、そのときに行けたというだけの話で、今も行けているわけではない。だから、僕の中で特別だというふうには残らないんです。そういう割り切り方のできる自分は、わりと好きですよ（笑）」

見るものにとっては特別な一日でも、イチローがそれを特別なものとして心の中に残さないからこそ、次から次へ、見るものに特別な一日を提供し続けることができるのだろう。ただし、イチローの言葉の中に、話をつなぐヒントはあった。

特別な一日はなくても、何かを感じた一日ならある。イチローは、そんな一日について、話し始めた。

「あの時は、今までグラウンドの上で出たことのない感情が生まれました。涙を流した後、ここでどういう自分でいられるのかということを見てみたかったんです」

２００７年9月29日。

去年、イチローの3度目の首位打者獲得が絶望的となった日である。マリナーズのシーズン161試合目となる、シアトルでのレンジャーズ戦。６回表の守備についたイチローは、初めて味わう敗北感に包まれていた。

その直前の5回裏、イチローは一縷《いちる》の望みをつなぐために、打席に立った。

2―2からの5球目、イチローはケビン・ミルウッドの外角のカーブを捉えた。イメージの中で完璧に捉え、ヒットにできるという揺るぎない自信を持ってバットを振りながら、イチローの打球はショートの正面に転がった。この結果が、イチローの心をかき乱したのである。当時のＮｕｍｂｅｒに記したイチローの言葉と心情を、もう一度、思い起こしてみる。

「完敗でした。まさか僕が逆転した時点で、これだけの差をつけられて自分が負けるなんて、まったく想像していませんでした。僕が抜いたとき、相手がそこから打率を上げてくるのは不可能だと思ってましたし、よくてキープって想像していたんですけど、さらに1分近く上げてきたわけですから、驚きました」

イチローが「相手」といったのは、タイガースのマグリオ・オルドネスのことだった。去年の9月19日、イチローは打率を・354として、それまでトップを走っていたオルドネスの・353を抜いた。その日、イチローは「そりゃあ、一番になりたいよ」と、首位打者への意欲を口にした。すでに7年連続200安打を達成し、自分自身の状態にこれまでのどのシーズンとも違う手応えを感じていたイチローは、メジャー7年目のシーズン終盤、首位打者を狙って獲りにいくというプレッシャーを初めて自らに課し、それを敢えて言葉にしたのだ。これまでイチローは、ヒットを積み重ねていくことに価値を見出してきた。それは、打率に目を向けると、率を下げたくないという気持ちから打席に立ちたくなくなるかもしれないリスクを恐れてのことだった。しかし、敢えて打率を意識した、その理由はどこにあったのか。

「それは、自分の可能性を感じてたからでしょう。器という意味でね。それ（打率）を意識しても今シーズンの自分は変わらない。その上で（オルドネスを）倒したいと思ってたから、倒しに行ったんです。野球って逃げようと思えばいくらでも逃げられるじゃないですか。結果として負けていても自分の姿勢が前に行っていれば負けてない、みたいなことをいくらでも言えてしまうんです。だから、越えられるかどうかがわからないくらいのいろんなことを自分に課してきて、ほとんど、越えてきた。今回も、そうでした。・333から打率を上げられるのは、限られた選手です。しかも、これまでに首位打者を獲ったことのない選手が、そこから1分近くも打率を上げてくるなんてことは、僕には想像できませんでした」

去年を、考え得る重荷をいくつも自らに課すシーズンだと位置づけ、それをことごとく乗り越えてきたイチロー。彼は最後の最後に、相手のある首位打者を狙うということまでを自分に背負わせた。自分以外の敵を見ることは、イチローにとっては最大の重荷となるはずだった。

そして、敗れた。

イチローを追っていたNHKのテレビカメラは、そっと涙を拭《ぬぐ》い、カメラに背中を向けるイチローの姿を捉えていた。イチローは、今でも涙を流した理由を、把握できていない。

「わからないですね。悔しさが含まれていないわけはない。でも、それだけではないことは自分でもわかっているんです。ただ、それが何なのかが、わからない。プロに入って2年目、オリックスで二軍行きを告げられたとき、悔しくて泣きました。あのときの涙は、悔し涙だって言い切れます。でも去年の涙は、悔しさがすべてではない。悔しさと別のものがあったんでしょうね」

悔しさと別に芽生えた感情とは何か——イチローはその答えを出そうとしなかった。

「でも、今の僕にとっては、泣いたことではなくて、その後に感じたことの方に大きな意味があるんです。あそこまで気持ちが乱れて、それでも次の打席に入らなければならなかった。あの打席は、僕にとっては大きな挑戦でしたね」

第3打席、ショートゴロに倒れて首位打者が完全に遠退いてしまったのが、5回裏。センターを守りながら、涙を流したのは6回表。そして7回裏、イチローは先頭バッターとして打席に向かった。

「そもそも僕は、他の人をほとんど相手にしてこなかったので、ああいう形で誰かに負けるということもなかったんです。だから、あの打席は、ここで結果を出せる自分でありたいと思って向かった打席でした」

イチローの第4打席、相手はなおもミルウッド。

初球は外角、低く外れた91マイルのストレート。そして、2球目は外角低めへの、同じ91マイルのストレートだった。イチローはそのボールを、いつにも増して強く見えるスウィングで、ピッチャーの足下に弾き返した。

「打席に入るまでのことは何も覚えてないんです。結果を出すことだけに集中しようと思ったんですけど、でも全然、切り替わってない。ずーっと引きずったままなんですよ。悔しさを引きずっているというより、混乱し続けているという感じかな。だから、打ったカウントも覚えていないし、とにかく鮮明に残っているのは、打って、ボールがピッチャーの足下を抜けて、センターに転がっていった、そのことだけです。結果を出せる自分であるために向かった打席で、結果を出すことができた。引きずりながら出したことに意味がありますよね。切り替えて結果を出せるものなら、切り替えられたことに意味はありますし、そうでありたいとも思いますけど、引きずってしまうものなんですよね、人間って……というか、僕は引きずってしまうんです。だから、引きずっているのに結果を出さなきゃいけない。そこを表現できたという満足感です。引きずらないことよりも、引きずってなお結果を出すことを考えていましたから、そこにはちょっとした満足感がありましたね」

ヒットを打ったイチローは、ゆっくりと一塁ベースに辿り着いた。

「みんなよくやりますけど、ヒットを打ったあと、二塁を窺うような姿勢を見せるじゃないですか。僕はまったくやらないんですけど、あれをさらにしないで、ゆっくりベースタッチするんです。一塁ベースで終わりって感じのときは、僕がけっこう嬉しいときです（笑）」

初めての敗北感を味わったその日。

イチローはそのわずか37分後には、すでにささやかな満足感を得ていた。自分の中での最後の戦いを終え、敗れた直後に、なおも自分を観察しようという強さを携えていたことになる。

イチローは、弱さを晒しておきながら、さらに強さも晒そうとする。

負けて涙を流すイチローの姿に触れて、一つ、思い出したことがあった。

あれは、メジャー2年目を終えた日のことだ。

日本で7年、アメリカで1年、あわせて8年も獲り続けてきた首位打者を、２００２年、イチローが逃した。残った数字は２０８安打でリーグ２位、打率は・３２１で4位。シーズンを終えたイチローは、報道陣の前で、胸を張ってこう話した。

「やれることはすべてやってきましたし、手を抜いたことは一度もありません。常にやれることをやろうとした自分がいた、それに対して準備ができた自分がいたことを誇りに思います」

聞いている方が呆気にとられるほど清々しく、堂々とした態度だった。そこまで胸を張って言い切られてしまうと、『調子が悪かったのは……』などと、切り出せなくなる。不調をどう受け止めたのか、打率が下がった原因はどこだったのか——そんなネガティブなコメントを期待していた報道陣は、イチローがあまりにも清々しい表情で2年目を受け止めていることに困惑した。残った結果は、満足のいくものではなかったはずだ、と決めてかかっていたからだ。

しかし、イチローは残った数字をありのままに受け止めていた。

6年前の胸を張っていたイチローと、去年、負けて涙を流したイチロー。5年経ってのこの変化を、彼はどう位置づけているのだろうか。

「キャパが小さいのが以前ですよね。相手のことは考えず、自分ができること、やるべきことをやるということで満足感を得ている、以前の自分。それはありきで、プラス、この相手に勝たなくては喜んでもらえない勝負の世界で、周囲の期待を受け入れて、勝つのか負けるのかを考えている今の自分。どちらのキャパが大きいかは、明らかです。相手のことを考えた瞬間、自分だけの世界では成り立たなくなるんですからね。もっと言えば、僕ができなくて相手もこけた、その結果、最終的に僕が勝ったとしても、当時の僕はそれを許さなかったでしょう。でも、去年の僕はそれを受け入れたと思います。それは、相手がこけたのは、自分の存在によってそうなった可能性があるからです。それは自分の力だと思うんです。でも、以前はそうは思わない。自分の力を出し切れなかった、でも相手も力を出せず、結果として勝ったということを、自分の力だとは思えなかったはずなんです」

尖って、弱さを隠そうとした20代前半。大人のふりをして、強さを隠そうとした20代後半。そして、正直に振る舞って、弱さを晒そうとした30代前半。

イチローは30歳になって、赦すことをテーマに、何もかもを受け入れようと手を広げる姿を見せた。その後、実際にすべてを受け入れ、さらに抱え込もうとする今に至って、イチローは強さを包み隠そうともしない。弱さを晒すだけでなく、強さまでも平然と晒せる30代後半へ向けて、その価値観の変化は、いったい何によってもたらされたものなのか。

「見ている人の視線を受け入れるか、受け入れないかというところだと思います。彼らがどれほどわかりやすい結果を望んだとしても、それを受け入れる。そうすれば、自分がベストを尽くせばいい、という話にはならなくなりますから。ベストを尽くせば結果はおのずと……なーんて、今の僕が言っていたら、つまらないでしょう。どれだけ重荷を背負わされたとしても、今の僕には何かが生まれてくるはずだって信じてるだけなんです。根拠もなく、ただ信じてるだけの話（笑）」

イチローが言う「見ている人の視線」には、ポジティブな期待とネガティブな期待の、両方の意味合いが含まれている。そんなキツい視線に対して、気づかないふりをしたり反抗的になったこともあった。しかし、今ではどんな視線にも堂々と目を合わせて、しかも悠然と、結果を示すことができる――そんな自分がいるはずだという、揺るぎない自信がもたらす、境地。

俯瞰すると、そういうイチローの変化は7年周期で起きているのだという。

「最初は自分本位だったものが、自分以外の人たちを喜ばせることへの喜びを感じ始めるんです。それがまた、自分本位に戻る。オリックスでの7年間はこんな感じでいったんですけど、こっち（メジャー）でも7年間、同じ感じを繰り返しましたね」

20歳で210本のヒットを打っていた頃、ガムシャラに自分のために野球をしていて、その後、周囲の期待を感じ取ってホームランを意識したり、体をでかくしようとした。やがて、そんなことよりも大事なことがあると気づき、メジャーを目指すようになった。確かに自分本位から始まって、自分以外の人に意識が向き、最後は自分本位に戻る。メジャーでも1年目は人の目を気にする余裕はなく、3年を終えて、4年目あたりから周囲が期待する記録や数字、インパクトを追い求めるようになった。今はまた、ふたたび自分本位の時期が来ているということなのだろうか。

「僕、メジャーの1年目にアリゾナへ来たときの感覚って、今でも忘れないんです。今年のオープン戦のように、試合で結果が出ていない状況があの1年目だったらどうなっていたんだろうって考えると、恐ろしかったりしますよね。どれだけヒットが出なくても、そんな気持ちにならないでいられるというのが、7年やった、ということなんでしょう」

確かに、今年の1月の自主トレで、〝遊んだろかな〟という言葉を掲げたイチローは、その言葉だけを聞けば、自分本位に振る舞おうとしているように映る。ただし、イチローが言う「妥協」も「逃げ」も、そして「遊び」も、基準となるラインを引いているのはイチロー自身なのだから、一般論とは比較できない。

イチローがオープン戦で連続ノーヒットを続けていたその真っ最中、マリナーズの指揮官、ジョン・マクラーレンが、人目も憚《はばか》らずイチローのところへやってきて、彼の耳元で何かを囁《ささや》いたことがあった。イチローはその言葉に何度も頷き、やがてマクラーレンが立ち去ってから、ニヤッと笑ってこう呟いた。

「ときどき、マジメなことを言うんですよね」

このとき、マクラーレンは、3打席続けてヒットが出ないまま、連続ノーヒットを止められなかったイチローが、4打席目に立ちたいと言ってきたことを讃えていた。

「マックはね、『なぜこんなにイチローのことが好きかというと、野球に対する姿勢や、野球に対してリスペクトする気持ちがあるからなんだ。最後、4打席目も打席に立つかと訊いたとき、立つと答えたことがそれを証明している』って、そう言いに来たんです」

一所懸命に見えても、心の中に遊びがある。目指すところは、歳を重ねるイチローを、余裕のある鈴木一朗が支えるバランスだ。肉体的にピークを過ぎるイチローの能力を、精神的に成熟した鈴木一朗が押し上げる。

イチローは、満足したら終わりだ、という物言いに納得しない。むしろ、満足していいし、実際に満足してきたのだという。満足感を感じられなければ、自分の中にある最高到達点がいつまでもわからない。山の頂だと信じていたところに辿り着いて、ようやくその場所の高さがわかり、次の目指すべき頂が見えてくる。

イチローは、せっかく積み上げた200本のヒットを翌年にはリセットして、またゼロから積んでいかなければならない世界にいる。だからこそ毎年、満足する。しかし一度の満足は、それまでの積み重ねをリセットする。満足感というのは一瞬の花火のようなものだ。そして、特別な一日も、次の日になればリセットされてしまう。

だとすれば、今年で8年連続となる200安打がやがてどこかで途切れたとしたら、イチローがどうやって立ち上がるのかも興味深い。突然、ホームラン40本を狙う、なんてことも、イチローの言う「裏切りの野球人生」を目指すスタンスからしたら、あり得る話だ。

「いずれは来るわけですからね。50歳まで200本を続けるわけにもいかないので（笑）、僕も、途切れたあとの自分を見てみたいという気持ちはありますね。ただ、途切れたあとは、もう一回、狙います。もう一回、200本を打ってから、変わる可能性はあるかもしれません」

特別なはずの一日を、特別なこととして心の中に留めないのは、そこで歩みを止めたくないという想いがあるからなのだろう。これからの7年、などというと、イチローにそんな先の話はできないと一刀両断されてしまうかもしれないが、この7年、もし200本の安打を続ければ、日米通算のヒット数は、ピート・ローズの4256安打という通算最多の記録を軽々と超えてしまう。

「7年先のことなんて考えたら、ろくなことはないですよ（苦笑）。ここだけは普通になってしまいますけど、その時々に集中していくという方法をとります。僕はとどまっていたいと考えることはないでしょうから、野球には無数、無限の可能性があると信じていたいんです。選手の年齢は、精神的脂肪に出るものです。脳みその硬さですよね。ここに一番、年齢があらわれちゃいますから、それだけは避けたいと思ってます。もちろん僕は常識的ではないので、そんなものとは無縁でしょうけど（笑）」

50歳まで現役で――この言葉が現実になるとしたら、去年でイチローのプロ野球人生はちょうど半分を終えたことになる。イチローにとっての〝特別な一日〟は、現役を退き、野球を辞める決意を胸に秘めるその日まで、やってくることはないのかもしれない。

２００８年成績　１６２試合　６８６打数（リーグ１位）２１３安打（リーグ１位）６本塁打
42打点打率・３１０　43盗塁　ゴールドグラブ賞　オールスター選出

「おっと、松坂選手、言うようになったね」

[投打の主役の絆と信頼感] イチロー&松坂大輔「チームリーダーの覚悟」
Sports Graphic Number 724/MAR 2009

イチローが2度目の世界一に挑もうとしていた。第2回のWBCが迫ってくる。イチローは、同じメジャーの舞台で戦う松坂大輔に投手陣を託そうとした。日本代表の一人として、メジャーリーグで居場所を確立しているプレイヤーとして、どう振る舞うべきなのか。イチローは、松坂とコンセンサスを取ろうとしていた。チームを引っ張る立場のプレイヤーに何が必要なのかを熟知するイチローが、松坂に期待したこととは何だったのか。

紅色の日の丸と、赤い靴下。

二人の指には、ずっしりしたチャンピオンリングがはめられていた。イチローのそれは2006年、WBC優勝のときに自ら誂《あつら》えたオリジナルのチャンピオンリング。トップにはルビーの日の丸が輝いている。そして、松坂大輔の指には2007年、ワールドシリーズを制した証のチャンピオンリング。お馴染みの赤い靴下が、指輪のトップを彩っていた。

あまりにも豪華な、指輪のツーショット。

それ以上に豪華なメジャーリーガーのツーショットが実現したのは、2月4日のことだった。イチローが行きつけの、神戸にある牛タン屋。カウンターに並んで座った二人は、互いのコレクションを自慢しあっていた。

「このリング、ずしっと重いですね」

「プラチナが入っているからかな」

「こっちも重いですよ、何しろ、ワールドシリーズですから（笑）」

「おっと、松坂選手、言うようになったね」

ビールのジョッキを呷《あお》りながら、二人の会話ははずむ。例年ならばスプリング・トレーニングのために、そろそろ渡米の準備を始めなければならない時期だ。しかし、イチローは神戸に腰を据えてトレーニングを続けていた。そして松坂は宮崎に向かう道すがら、神戸に立ち寄った。南郷で行われている古巣ライオンズのキャンプに参加することになっていたのだが、その前に神戸で一緒に練習をしようということになって、急遽、神戸にやってきたのである。二人が揃って食事をしたのは、その前夜のことだった。

メディアが騒ぐのはわかっていて、敢えて二人が一緒に練習をしようと言い出したことには、もちろん意味があったと思う。ともにメジャーの中でも突出した実績を残している二人は、WBCの日本代表を名実ともに引っ張っていかなければならない。その自覚があるからこそ、ここで一発、投打の主役が最初のデモンストレーションを行って、誰が親分なのかをハッキリさせておこう――そういう狙いがあったのではないかと想像する。

2度目のWBCが迫ってきた。

イチローは今回のWBCで、野手を自分が引っ張り、ピッチャーを松坂が引っ張っていかなければならないだろうと考えていた。そのイチローの心を、松坂は感じ取っていた。

「イチローさんの立場は前回と変わってないと思いますけど、僕はここ数年で自分の立場が変わってきましたからね。僕がメジャーでプレーするようになって、大塚さんとか、上原さんとか、僕より上の人が日本代表から抜けて、今までは上の人にやってもらっていた役割を今度は自分が担っていかなきゃいけないというふうに思いますし、責任も負わなくちゃいけない。そういうことをイチローさんに期待されてるというのは、なんとなく感じますね。実際にイチローさんからはそういう言葉もありましたしね。『ピッチャーはお前が引っ張らなきゃいけないぞ』って……」

今回、イチローは明らかに松坂を意識的に焚き付けていた。それは、前回のWBCから3年の間、松坂が増やしてきた引き出しの数と中味に対する、イチローなりの期待があったからだ。野手には目が届いても、投手陣のことまではわからない。野球における投手と野手の間にはカルチャーギャップのようなものが存在し、一度のミスも許されない完璧な仕事を求められる投手と、7割はミスをしても一発でかい仕事をすればヒーローになれる野手とでは、野球に対する考え方も違ってくる。イチローは、今の松坂にならピッチャーのことを任せられると考えていた。イチローが、こんなふうに話していたことがある。

「大輔がゲームで結果を出していけば、それが一番、全体の力になるでしょうね。大輔以外の選手が同じ結果を出しても、そういう存在になれるかどうかは疑問ですけど、大輔ならそうなれるというイメージはできます」

2月5日の朝、神戸のホテルのロビーに松坂が現れた。イチローもホテルからユニフォームを着ていくらしいという誤解から、そのときの松坂はユニフォームを着ていた。めざとくその姿を見つけたジャージ姿のイチローは、松坂に向かって大声で叫んだ。

「おい、大輔、まだ早えーよ（笑）」

「すいません、ジャージ、持ってきてなかったんで……（苦笑）」

誰もいないスカイマークスタジアムで行われた、イチローと松坂の、二人だけの練習。対決以上に楽しみにしていた初めてのキャッチボールは、実現しなかった。イチローの肩が出来上がりすぎていて、今の松坂ではまだ追いつけないと判断したからだった。イチローが無邪気に笑って、松坂を挑発する。

「あんまり僕が先に行っちゃってることがわかったら、かわいそうだからね」

松坂も負けていない。

「あの距離は、まだ無理です。でも、あと5分あれば間に合ったんですけど（笑）」

そう言ってから、松坂がマウンドに向かった。イチローも、打席に立つ。何台ものテレビカメラが二人を追い、スチールカメラのシャッター音が無人の球場に響き渡った。赤と紺の二人は、緑の芝に映えていた。

松坂の投げたボールがイチローのバットをへし折り、イチローの打った痛烈な打球が松坂を襲う。ケージの中で空振りをさせられたイチローを見たのが初めてなら、練習であんなに気合いの乗った、指にボールがしっかりと掛かったピッチャーを見たのも初めてだ。練習が終わり、グルリと取り囲んだメディアの前で、二人はお互いを讃えた。

「いやぁ、掛かってましたねぇ（笑）。今日はホテル出発の時から掛かってました。あのカッコでホテルのロビーに現れたときから、今日は来るなと思ってましたけど、案の定、来ましたね。いいと思います」（イチロー）

「雰囲気がいいんですよ。イチローさんがバッターボックスに立っているだけで、投げているうちに乗ってくるんです」（松坂）

イチローと松坂。

紛れもなく、この二人が今回のＷＢＣでも主役にならなければならない。イチローが連覇のかかるＷＢＣに向けて、「守る、ではなく、奪いにいく」と言えば、松坂が「受けて立つ気持ちなんてサラサラない」と応える。宮崎合宿の間は、「最終メンバーに残ることが第一」と口を揃え、決して先走った発言をしない。それでも、必要なときにはチームメイトに声を掛け、背中で示す。

イチローよりも年上の野手が稲葉篤紀だけなら、松坂よりも年上の投手は、渡辺俊介だけ。もちろん、年長者の稲葉と渡辺は、イチローと松坂がそれぞれのリーダーを務めることに異存はないだろう。実際、松坂は山田久志ピッチングコーチから、最初のミーティングで「ピッチャーのキャプテンは大輔だから」と指名され、投手陣の前で挨拶をした。またイチローは、原辰徳監督から山田コーチを介してキャプテンへの就任を打診され、それを遠回しに断っている。

キャプテンという肩書きがなくても気がついたことは言うし、肩書きをつけることがむしろマイナス要素を生む可能性があるという考え方を伝えたのだ。それでも、そんな肩書きがあってもなくても、イチローは「僕がやるしかない」という覚悟は持っている。以前、イチローはキャプテンについて、こんなふうに話していた。

「前回もキャプテンが誰かなんて、決まっていたわけじゃないんですから、決める必要はないんです。チームがまとまるというのは、自然発生的なものだと思います。安易に肩書きをつけてしまうと、形は作られているように見えますけど、選ばれた人は張り切ってしまうだろうし、むしろ危ないですよ。短期決戦ですから、まずは形を作ろうという考え方はあると思いますけど、簡単にそうしてしまったチームには強さは生まれないでしょう。いい形が自然発生的に生まれてくるというのは難しいことですけど、だからこそ、生まれてきたときには強くなるんじゃないですか。その結果、僕がそういう立場に立つとしたら、それはそれです。他の人間であっても、結果としてそうなるというのがいいでしょうね」

二人は学生時代も含めて、これまでにキャプテンを務めたことは一度もない。キャプテンにされそうになるたびに、あの手この手を使って回避してきた。キャプテンという肩書きをつけなくても、否応なくチームの中心に立たされることには慣れている。松坂も、いきなり山田コーチに指名され、投手陣のキャプテンということにはなったが、イチローの意図は十分に理解していたはずだ。

「特別なことをするつもりはありません。僕ができることは、メジャーのどんなに凄い選手でも、僕たちは対等に渡り合えるんだというのをしっかりと伝えることなんじゃないかと思います。前回もそうでしたけど、選手の中には憧れの目線を相手に向けていた人がけっこういました。そうではなく、僕らも十分に戦える相手なんだということを、先頭に立って示していきたいと思っています」

松坂のキャッチボールを見て、若い選手がなぜそうするのかと意図を質問に来る。関心のないふりをして、イチローの準備の仕方をこっそり覗き見ている若い選手もいる。アプローチはさまざまではあるが、イチローを意識しない野手はいないし、松坂はブルペンで後輩たちの視線を感じながら投げていた。


だからこそ、意気込んだ。

メンバーが28人に絞られてから臨んだ、最初の強化試合。大阪で行われたオーストラリアとの2試合で、イチローは敢えて、浅めの守備位置を意識した。後ろの打球は捕って当然、前に落ちそうな打球をいかに捕るか。内野と外野の間に落ちるポテンヒットは、一見、野手のミスには見えないが、実は、野手が追うのをあきらめた結果でもある。だからこそ、ピッチャーにしてみれば打ち取ったのにというショックが残る。そんな打球を一つでも多く捕るために、後ろを抜かれないギリギリまで前へ出て、守る。それがイチローのプライドだった。

一方の松坂は、初回からアクセルを目一杯踏んで投げることを意識した。これまで、立ち上がりにボールが暴れることの多かった松坂は、いかにソロリと試合に入っていくかをテーマにしてきた。しかし球数制限のあるＷＢＣでは、そんな悠長なことは言ってられない。初回から、力を込めたストレートを、正確にストライクゾーンに投げ込む。松坂は初回、３つのアウトをすべて空振り三振で奪った。ストレートで早めに追い込み、キレのいい変化球を低めに決める。松坂の真骨頂だ。

しかし、どうにも結果が伴わない。

イチローには内野安打は出るものの、会心の当たりが影を潜めた。たとえばオーストラリアとの初戦では、球の遅い左ピッチャーが投げた〝１２８㎞〟のボールにどん詰まりのセカンドゴロを打たされ、しびれた手にストレスを感じていた。

「チェンジアップじゃないですよ。ストレートです。あれが１４０㎞のまっすぐなら、バットが止まるんです。でも１２０㎞台のまっすぐだと、打ってはいけないボールでも、脳みそが、こんなの簡単に打てるぞ、と判断してしまうから、体が勝手に行ってしまう。結果、どん詰まりになって、手、いてーっ、みたいな……最悪ですよ（苦笑）」

イチローは前回のWBCでも、中国あたりのプロとは言えないレベルのピッチャーに苦しめられた。１５０㎞を超えるボールに反応できてしまうイチローは、ボールが遅すぎるとリズムが崩れてしまう。今回も、タイミングがズレた結果のどん詰まりだった。

「いや、ズレていないからああなっちゃうんです。ズレないままのタイミングで打てていれば、結果は出ませんけど、普通の状態を保つことはできる。レベルの違うピッチャーと対戦すると、僕の野球が全然、できなくなってしまいます。ああいうピッチャーに合ってしまうようになると、その後、それなりのレベルのピッチャーと対戦するとき、苦労することになりますからね」

オーストラリアとの2戦目に先発した松坂は、10人のバッターと対峙して、5本のヒットを浴びた。球数に制限もあったことから2回の途中で降板したのだが、その後に投げた杉内俊哉、内海哲也、渡辺俊介、山口鉄也、涌井秀章、藤川球児の6人のピッチャーが、最後まで1本もヒットを許さなかったから、松坂にしてみればたまらない。

「ナイスピッチ、僕以外（苦笑）」

松坂はヤケになって、叫んだ。

「マウンドを降りてからトレーニングをするために、一度、ダグアウトを離れたんです。で、戻ってきたら7回くらいで、スコアボードを見たらオーストラリアには点が入ってない。みんな、やるなぁと思って、ふとヒットの数のほうを見たら、5本なんですよね。あれっ、ちょっと待てよ。５本って、ヒット打たれたの、オレだけかよ、みたいな（苦笑）」

リーダーとして若い選手を引っ張る立場に立たされれば、どんなときでも結果が欲しくなる。もちろん、本番になれば結果を残すに決まっているという若手からの信頼感は揺らぎようがないのだが、仲間からの視線を意識させられると、本番前に結果が出ないことにさえも後ろめたさを感じてしまう。それがチームリーダーという存在の、微妙なメンタリティなのかもしれない。松坂は言う。

「前回は、練習試合で打たれても、本番で結果を出せばいいと思ってやってましたけど、今回は、余計なことを考えなければならないと思っています……その『余計なこと』というのは、ある程度の結果は出しておかないとみんなに示しがつかないということですね」

松坂がオーストラリアに打たれた５本のヒットのうち、会心と呼べる当たりは、高めに浮いた１４４㎞のカットボールを右中間に運ばれた、１本だけ。このヒットがタイムリーツーベースとなって、松坂は２点を失った。ダグアウトに戻ってきたイチローは、松坂に声を掛けた。

「大輔、ごめんな。さすがにあれは前に守り過ぎていたからな」

「いえ、９番バッターにあそこまで飛ばされた僕のほうが悪いんです」

イチローがギリギリまで前へ出て守っていることを、松坂は知っていた。守備位置がいつもより浅くなければ、ライトフライで終わっていた可能性は高い。他の誰にもわからなくても、二人だけで理解していることは少なくないのだ。自分たちがやってきたことへのプライドと、これからやろうとしていることへの自信が、ＷＢＣでの日本代表を引っ張っていかなければならない彼らを支えている。

決戦の舞台となる東京へ移動する直前、イチローも松坂も、珍しく疲れを顕わにしていた。オフになってからほぼ毎日、体を動かしてきたイチローは、東京への移動日となった２月26日、久々の休みを取った。

「ここで休んでおかないと、もう休める日がないからね。サウナでも行って、ゆっくりマッサージを受けたいなぁ」

同じ日、松坂は寝坊して、予定していた東京行きの飛行機に乗り遅れた。機内で提供された朝食も頼んではみたものの、眠りこけてしまって食べられなかった。

「夕方にはトレーニングに行くつもりですけど、それまでは寝ようかと……でも、買い物に行こうかな。いや、やっぱり寝ます」

苛酷な戦いになることを知っているからこそ、本能が羽を休ませようとしたのだろう。しばしの休日、二人は別々の場所で、大好きな甘いものを食べて、決戦の日に備えた。ちなみに甘党の二人が食事をともにした神戸での夜、イチローが食べたのはイチゴパフェ、松坂が選んだのはフルーツパフェだった。

「宝物です」

［独占インタビュー］イチロー「みんなが折れかけた心を支えてくれた」Sports Graphic Number 726/APR 2009

日本が連覇を果たし、第2回WBCが終わった。決勝の夜、ドジャースタジアムには色とりどりの紙吹雪が舞っていた。歓喜の渦の中心には、イチローがいた。終わってみれば、最初から最後まで、主役はイチローだった。不振に喘ぎ続けた苦悩さえも、最後の一打のためのプロローグに過ぎなかったのか――決勝の2日後、あの打席までの折れかけた心、あの打席での高ぶった心、そしてあの打席を乗り越えた心について、イチローに訊いた。

ごちそうさま、ではなかった。

「あれは『ち』ではありません。小さい『っ』です。雰囲気的に、重い感じはNGです。こういう形で終わって、そこは大事なところですからね。『ごちそうさまでした』ではなく、『ごっそうさまでした』。その方が、なんかいいでしょ（笑）」

何もかもが、3年前と同じだった。

WBC決勝の翌々日、アリゾナにあるイチローの自宅で彼の話に耳を傾ける。激闘の興奮をどこに探したらいいのかというほど、静かな空間に、ラフな姿のイチローがいた。奪いにいくと言い切った2度目のWBCでその言葉通り、連覇を果たし、しかも決勝戦では試合を決める値千金の一打を放った。満足感もあるだろう。ただ、そこに敢えて違いを探すとすれば、イチローが口にした「こういう形」というフレーズに、ネガティブな匂いを感じてしまうことだろうか。

「だって、最後だけですからね。ホントに最後だけ、僕がいただいちゃったんですから」

最後だけ——。

WBCの決勝は、韓国との5度目の対決となった。先制して追いつかれ、突き放しては追い上げられ、3—2と日本が1点をリードして迎えた9回裏。日本のマウンドには抑えに抜擢されたダルビッシュ有が上がる。しかし、そのダルビッシュがレフト前へタイムリーを許してしまい、これで3―3の同点。さらにツーアウト一、二塁と一打サヨナラのピンチが続く。それでもこの場面は、ダルビッシュが後続を三振に斬って取り、日韓五番勝負の最終ラウンドは延長戦に突入することになった。ゲームは終わらなかったのだ。そして、ここまでの苦しみ続けた43打席では、イチローのWBCも終わらなかったのである。

もし日本が1点のリードを守ったまま、9回で試合が終わっていたら、WBCの連覇は違った形で現実になっていた。その場合の連覇は、イチローにはどう映っていたのだろう。

「僕以外のみんなに拍手、でしょうね。連覇という事実に対して喜びはあるでしょうけど、個人的な感情としては、みんなに拍手、になったと思います。僕、韓国との決勝の試合前、整列の時に原(辰徳)監督に一言伝えたんです。ずっと監督、コーチ、選手のみんなが僕に気を遣ってくれていて、それを痛いほど感じていましたから、『足を引っ張ってしまって……』と言ったら、監督は『お前さんがいたから、ここまでできたんだ』って。そこは監督、『お前さん』なんですけどね(笑)」

決勝を前に、イチローは腹を括っていた。

「もし勝てなかったら、4年後に出たいとは言えないと覚悟していました。もし決勝で負けていたら、これだけ周りを悪い方に巻き込んだわけですから、もう出たいなんて発言できるわけがありません。代表について語れる立場ではなくなるという覚悟を持って、決勝に臨んでいました」

今回のＷＢＣでイチローが残した数字は、９試合で44打数12安打、打率は・２７３。12本のヒットは青木宣親と並んでチーム最多だった。しかし決勝戦を除くと、その数字は８試合で38打数８安打、・２１１、得点圏では13打数２安打で・１５４になってしまう。チームに勢いをつけたい第１打席にヒットが出たのは、準決勝までに限れば、第１ラウンドでの最初の韓国戦だけ。残りの７試合は第１打席どころか、３打席目までに広げても、一本のヒットも打てなかった。イチローにいったい、何が起こっていたのだろう。

「いろんな要素があると思いますが、具体的にはっきりしていたのは、目でボールを見ようとしていたことです。体で見るのではなく、目で見るから、始動が遅くなってしまう。知らないピッチャーが出てくると、どうしても目で見てしまいがちなんです。初めての相手に対して、いきなり体でボールを見るのは難しい。ずっと、そのこととの戦いでした」

イチローの舞台はメジャーリーグだ。彼が日本からメジャーに移ったとき、下半身で粘る〝1、2、のぉ、3〟のリズムで投げる日本のピッチャーと、上体の力を活かす〝1、2、3〟で投げるアメリカのピッチャーとの違いを知り、タイミングの取り方を変えた。今のイチローがアメリカで輝くのは、彼のバッティングがメジャーバージョンになっているからだ。ところが今回のＷＢＣでは、準決勝のアメリカ戦まで、中国、韓国、キューバとしか対戦しなかった。

タイミングが違うアジアのピッチャー、見たこともないキューバのピッチャーとばかり対峙したことも、イチローの感覚を取り戻す邪魔をしていた。

「確かに、やりづらさはありました。でもそれ以上に、自分で始動が遅いのがわかっていて、それなりの修正をしていたつもりだったのに、それでもイメージよりも遅くなっているのをまたま映像で見たとき、これは厄介だなと思いました。あれは、東京ドームで韓国に負けたときの映像だったかな。まだ、こんなに遅いのかと……」

準決勝のアメリカ戦が終わっても、イチローの中での感覚は戻っていなかった。鋭い当たりはほとんどなく、捉えたはずの打球が力なく転がる。それでも仲間がチームを勝利に導き、日本は決勝に進んだ。もちろん、言い知れぬ孤独感が、イチローを包む。

「もし負けたらオレたちはどうなるかわからない、という気持ちを持ってみんなで戦っていたのに、自分が何度も流れを止めてしまった。そんなときは監督と目が合うだけで心が痛みました。でも僕が救われたのは、みんなが支え続けてくれたことでした。ピッチャーは点を取られまいと踏ん張ってくれました。野手に関しては、僕以外のみんながカバーして、折れかけた心を支えてくれました。その中でも存在が大きかったのは、ムネ（川﨑宗則）、青木、ナカジ（中島裕之）の3人と、稲葉（篤紀）さん。結果が出ない選手に近寄っていくことは難しいものです。でも彼らは意識的に声を掛けてくれて、結果に対するネガティブな意識を持っていることを感じさせないようにしてくれた。こんなこともあったそうです。野手のみんなが僕を盛り上げようと、ソックスを見せて試合前の練習に臨んでいたんだそうです。カメ（亀井義行）が提案してくれたらしいんですけど、泣けてきますよ。ホント、いい仲間に恵まれて……みんなが僕の想いを察してくれていたんですね。その分、心の痛みは増しましたけど（苦笑）」

イチローが苦しんでいることはチームの誰もが知っていた。それでもイチローに一切のネガティブな感情を抱かなかったのは、この４人に限ったことではない。誰よりも早くケージに行って打ち、ヒットが出ないからといって普段のリズムを変えることもない。そんなイチローのアプローチを間近で見ていれば、結果が出ないことを責めようだなんて気持ちになるはずがない。むしろ、苦しむイチローをみんなでカバーしようという若い選手たちの強い気持ちが、イチローとの距離を縮めてくれていたのかもしれない。

「みんなとの距離を縮めようとしていたわけではないし、それが目的となっていたら距離は縮まらなかったと思います。僕はあのときの自分と正面から向き合わなければならなかったし、変えたくなるところを投げ出さないで、そこから何とか光をつかもうとしなくてはなりませんでした。それを僕は、チームの中では隠していなかったので、ひょっとしたらそんなところを見てくれていたのかもしれません。外の人に対しては、結果を出すことで何かを示さなくてはいけませんが、内側にいる仲間たち、チームの中では、そこが大事になることが常です。他の選手たちは結果が出ないときの僕がどうしてるんだってことを見てるはずだと、そう思っていました」

そんな仲間たちとともに、イチローは準決勝の前夜に〝決起集会〟を開催した。イチローがお気に入りのロサンゼルスにある焼肉屋に野手全員が集まって、美味い焼肉に舌鼓を打ったのである。3年前に行われた〝伝説の宴〟と同じように――。

「みんな車の中で寝てて、寝起きの状態ですから、割と静かに始まるんです。中盤から段々、賑やかになってきますけど、すごく盛り上がって、という感じじゃない。そもそも、決起集会とか伝説の宴とか、誰がそんなことを言ってるんですか。ジョー（城島健司）が端っこの方で〝ジョーの中でのすべらない話〟を披露するくらいで（笑）、美味い焼肉をみんなで食おうというのが基本ですからね。でも、話していて思ったのは、この選手たちには向上心があるということです。みんなオールスターなのに、いろんなことに興味を持って、何かをつかみたいと思っている。試合前、一定の時間になると、一人の世界に入り込むんですよ。みんな、精神年齢が高くて、自分の世界を持っている。それは自分が背負っている責任を理解して、それなりの準備をしてきている証だと思うんです。ホントにいい選手が集まっていると感じました」

そして、なかったはずの……いや、彼自身が手繰り寄せたに違いない、2回目のWBCでの、44打席目が巡ってくる。

決勝は、延長戦に突入した。

イチローに何かを予感させたのは、内川聖一だった。10回表、イム・チャンヨンの内角に来たシンカーをライト前に落とす。

「これは、オレのところに何かが来るな……」

7番に入っていた稲葉がきっちり送って、8番の岩村明憲がレフト前ヒットで続く。ワンアウト一、三塁となって、代打の川崎。

「あの場面でムネが指名された。今回、ムネは先発する機会は少なかったけど、一人、ダグアウトで声を張り上げて、ずっと頑張っていたでしょう。そういう意味で、川崎宗則はジャパンの中で唯一無二の存在だったんです。だから、『よしっ、ムネ、持っていけ』と思っていました」

しかし、川崎は初球をショートに打ち上げてしまう。その瞬間、イチローにスイッチが入る。打席に向かいながら、心の中で彼はこう呟いていた。

『ここで打ったらえらいことだな。打たなくても、えらいことになる。日本での視聴率もごっついな。ここで打ったら、オレ、持ってるよな……』

「そんなことが頭に浮かぶときはろくな結果になりません。でも浮かんできてしまった以上、消すこともできないから、こうなったらこの流れに便乗したれと思って、ちょっとした実況が始まったんです。『さあ、この場面でイチローが打席に入ります』みたいにね」

5球目、ワンバウンド気味の低めのボールをファウルしたとき、「もらったな」と感じたイチローは、8球目、イム・チャンヨンのシンカーを捉えた。打球はセンターに弾き返され、内川、岩村が相次いでホームへ駆け込んだ。2点を勝ち越す、値千金のタイムリー。イチローは高ぶる心を抑えるかのように、ヘルメットの耳当てを何度も触っていた。

「タバコを吸う人が飲み屋さんでタバコに火をつけるみたいなもんで（笑）、時間が長いとジッとしてられないんです。ダグアウトは見ませんでした。だって、みんなの顔を見たら、感情が理性を超えてしまうかもしれませんからね」

10回表を終えて、ライトの守備についたイチローに青木が駆け寄り、耳元で何かを囁く。するとイチローは、グラブを口元にあてて、こぼれる笑みを隠そうとしていた。

「あれは、『おいしいとこばっかり持ってって！』って言われて……そう言われたら笑っちゃうじゃないですか。まったくチームに貢献できず、最後の最後でいろんなものをひっくり返すヒットを打った。印象としては、そうでしょう。だから、神が降りてきたと雰囲気で言っちゃいましたけど、でも実はそんなふうには思っていません。最後に溜まってたものをちょっと吐き出した程度です。これほど自分が流れに巻き込まれたという経験はありませんでした。今まではいろんなものを自分の世界に巻き込んできましたけど、今回は僕が巻き込まれていった。しかも僕がそういう流れを意識して、グラウンドの上で影響されてしまいました。それも、悪いほうへ……」

そして、イチローはこうも言った。

「僕は自分が最高の状態じゃなくても、結果は残せると思っていました。要は、負けたんでしょう。大きな流れに勝てなかったということだと思います」

イチローは、負けた、と言ったあと、勝てなかった、と言い直した。経験したことのない圧力の中、負けたままで終わらなかったというイチローの自負が垣間見える。

前回のＷＢＣでは、意外にも〝激アツ〟なイメージを披露してくれたイチローだったが、『ザ・パフォーマンスです』と宣言した今回、まさか、イチローの〝折れかけた心〟に世の人々が心を揺さぶられることになるとは、誰一人として想像しなかったに違いない。

「僕は常に、人のちょっと先を行かなければいけないと考えています。何かをする側が後をついていくようではまずいですからね。でも今回はちょっと先じゃなくて、だいぶ先を行ってしまいました。ただ、究極の〝上と下《じょうげ》〟には通じるものがありますから、やるならどっちかじゃないかなというふうにも僕は思っています。人の目というのは、すごくやるか、すごくやらないかのどちらかで興味を引くことができるんです。間はないんですよ」

日本中の人々は、苦しむイチローの姿を見て憂え、最後のヒットに狂喜した。日の丸をつけた2度目の舞台は、イチローの——。

「宝物です」

今度は、見えないところに日の丸をつけるイチローのシーズンが、幕を開ける。

2009年成績　146試合　639打数　225安打（リーグ1位）11本塁打　46打点　打率・352　26盗塁　シルバースラッガー賞　ゴールドグラブ賞　オールスター選出　WBC連覇

MLB通算　1426試合　6099打数　2030安打　84本塁打　515打点　打率・333　341盗塁

「王監督にも僕にも、野球のために命を削る覚悟があるということです」

［世界制覇と世界新］イチロー×王貞治「超えた者だけ見える道」Sports Graphic Number 751/APR 2010

プロ野球、人間交差点――そんなテーマでイチローは王貞治との縁を語った。第1回のWBCで、選手と監督としてではあったが、初めて交わることになったイチローと王。彼らはともに世界記録を超えたという共通点を持つ。記録を超えるまでの葛藤や、超えてからの一人旅におけるモチベーション、さらにはお互いの生き方や相通じる価値観など、野球人として数少ない尊敬できる相手に抱く想いを、イチローと王がそれぞれ語り尽くした。

突然、喧噪から切り離されて、王貞治とイチローは二人っきりになった。日の丸が、ごく限られた空間を作り出す。

歓喜の渦から日の丸が二人を覆い隠してくれたおかげで、イチローは、王の言葉を耳元でハッキリと聞くことができた。

「ありがとう、君のおかげだ」

2006年3月20日。

第1回WBCの決勝戦が終わった直後のことだった。世界一を勝ち取って日の丸を手にしたままのイチローが、王のもとへ歩み寄った。その瞬間、風が舞い、日の丸がふわっと二人を包み込んだ。王とイチローは、二人っきりの空間を分かち合うことを許されたのだ。ほんの5秒間の奇跡を、王はこう振り返る。

「あれこそ自然なんですよ。自然に両者の思いが表れたんです。ずっと一緒にやってきて、最後の最後で自然にね、ああいうことができた。彼はスタートからあの場面まで、チームを引っ張ってくれました。同じユニフォームを着ていても、監督というのは、選手の中に入り込めない部分があるんです。でも、彼が選手たちの先頭に立って、引っ張ってくれた。だから、ホントにありがとうという素直な気持ちがね、自然に出たんだと思います」

一方、王の感謝の言葉を耳にしたイチローは、すべてが報われた気がしたのだと言った。

「あれは……運命のイタズラでしょうね。だって王監督とああいう状況の中で日の丸に包まれるなんて絵は、僕では相応しくない。そもそも、相応しい日本人なんているんですか。いないんですよ。監督は別格なんです。選手としての凄さだけではなく、人間性が加味されることによって、王監督という存在は別格になるんです。王監督と並べる人なんて、いない。あのときはそこにたまたま僕がいただけで、本来、見合うわけがないんですよ」

王貞治とイチロー。

時代は違っても、次元を超えた数字と対峙してきた二人の野球人生が、4年前、日の丸のもとに、初めて交錯したのである。

そしてイチローは王に応え、日本の初優勝を牽引した。「世界の王選手を世界の王監督にしたい」と言い続けたイチローは、宙を舞う王の左肩を支えた。しかし第2回のWBCで、野球の神様はイチローに試練を与えた。それまで不振に喘ぎ続けたイチローに、いくつもの偶然が重なって、延長の場面でチャンスが巡ってきたのだ。チームに同行していた王は、ネット裏からイチローを見守っていた。

「第2回のWBCで、彼は第1回以上のことを要求されていましたからね。決して彼らしいバッティングができていたわけじゃなかったけど、でもポイントではきちっと役割を果たしている。しかも最後の最後、ああいう場面でイチロー君に回ってくるでしょ。そこには、説明のつかない人間力みたいなものがあるわけですよ。これぱっかりは誰も説明できない。自分がどうこうしようというだけで動くものじゃないし、ご先祖さんから受け継いだものも含めて、一生懸命に努力したから引き寄せることができたのかもしれない。あるんですよ、そういう人間力というものがね」

去年のWBCで、イチローは不振に喘いだ。

準決勝までの8試合で、38打数8安打、打率は・211。得点圏に限れば、13打数2安打、・154まで下がってしまう。選手から距離をおいて見ていた王は、イチローがバントを試みようとしていたことを気にしていた。

「求められていることに応えられないときというのは、態度に出てしまうものです。自分の中の葛藤を外に出してしまう。でも、イチロー君は我々の前ではいつも超然としていました。ただ、ランナーがいるときに彼がバントをして、フライを打っちゃったことがあったでしょ。あれはサインじゃないし、それが彼の責任感なんだとは思うんだけど、でも、何とかチームの勝利に貢献したいという彼の葛藤が表に出ちゃったということだと思うんです。そうじゃなきゃ、チャンスを作るためのセーフティバントはしても、送りバントなんて、彼はする必要がないんだから……」

一度もサインは出ていない。それでもイチローはバントを試みた。しかも、5度も……自らの意志で実行したこの5度のバントが、彼の葛藤を象徴していたのだと王は言う。

「だからこそ、そこに成長の余地があるということです。僕に送りバントのサインが出ると思ったことは一度もなかったけど、自分で送ろうと思ったことはありましたよ。実際にバントはしなかったけど、そういうときは、自分の状態が悪いんです。王シフトを敷かれてるんだから、レフトのほうへゴロを転がしときゃあ、チームにプラスになるわけですよ。調子が悪いと、つい、チームにプラスになることをしようって、頭に浮かんじゃう。でもトータルで考えたら、僕がそんなところへ打つよりも、自信満々でグラウンドに立って、ガーンと打ったほうが、チームにとってプラスになる。今後のイチロー君に、そういう葛藤を打ち消す余地があるってことは、まだまだ彼は成長できるということなんです」

弱さを晒したことを、成長の余地という言葉で置き換えられる。そういうことも、イチローの心に響く。

「そう考えることは僕には難しいですが、その言葉こそが成長させてくれるものではないでしょうか。そうやって苦しんでいる選手を追い込まず、選手がその言葉をどう感じて、どう未来につなげていくかに目を向けてくれる。僕にとっての監督は、ジッと見つめられると目をそらしてしまう存在なんです。他の人だとそうはならないのに、王監督だとそうなってしまう。僕は黒い人間でもないし、グレーとも言えないと自分では思っているんですけど（笑）、かといって、白ではない。王さんの目には、あの立場にありながら、白を感じます。そこに圧倒されますし、どこからこの白さが出てきたのかということに、すごく興味があります。もともと生まれついて持っていた性格から今の監督が構築されたのか、それとも王貞治という立場がそうさせたのか……現役のときはかなりヤンチャだったということも聞くし、かといって、立場だけで今の監督が作られるなんて、とても信じられません。さらに、王監督には失うという発想がないんです。他人が期待して、やってほしいと思うからそれに応えるのであって、〝世界の王〞と言われてることなんて監督には関係ないんです。それが僕にとっては、王さんの一番の偉大さです。僕なんて、失うことが、めちゃ怖いですからね」

そう言って、イチローは去年のＷＢＣでの最後の打席について話し始めた。すべてを失うかもしれなかった、あのときのことを――。

「あの最後の打席では、『ここで三振ぶっこいて負けたら、ホントにオレの過去は何もかもがなくなるな』って思っていました。監督はそんなこと、考えないんですよ。まったく次元が違うんです、人間としての……僕が去年のＷＢＣで最後にヒットを打って、『おいしいとこだけ頂きました』と発言しましたが、あの状況がおいしいわけがない。王監督は、そのこともわかっているはずです。ああは言ったものの、僕の野球人生、将来も過去も含めて、あれがすべてを打ち消してしまう可能性のある打席であったことを、監督はわかっていた。あれをおいしいところだと思えるのは、恐怖と戦ったことがない人でしょう」

王もまた、毎年、開幕する前には恐怖と戦ってきたのだと言っていた。

「もう打てないんじゃないかという恐怖は、常について回るんです。結果を残してきた人ほど不安と戦ってきたはずだし、恐怖心を持っていない人は本物じゃない。その怖さを打ち消したいがために、練習するわけです」

イチローは長い間、価値観を共有できる野球人と交錯できるのを待っていたのかもしれない。ウイリー・キーラーを越えて９年連続２００安打を成し遂げたイチローには、これから記録の〝一人旅〟が待ち受けている。そして33年前、王もハンク・アーロンの７５５号を越える７５６号を放って世界一の座についてから、８６８号まで、１１２本も記録の〝一人旅〟を続けていたのである。

「イチロー君は36歳か。僕は37歳のときに７５６号を打ったんだけど、あのときはまだ元気だったし、普通に打ちゃボールは飛んでっちゃったからね。バッティングの感覚にズレはなかったし、体力もあったし、７５６号を打ったからもうおしまいってことじゃなかったでしょ。だから貪欲にもう一本、もう一本ということですよね。７５７号？　覚えてますよ。ピッチャーはヤクルトの安田（猛）じゃないかな。次の日に打ってるんです。サヨナラホームラン。前の日は帰りが遅くて、朝になったら家の周りに人が溢れちゃって大変だったんだけど、打席に立つ以上は王らしいバッティングをするしかない。だから、あのときの僕には、達成感というものはなかったなぁ。記録を越えたといっても日本とアメリカじゃ、違うでしょ。周りが騒ぐほど僕は世界一だとは感じてなかったし、イチロー君のアメリカでの記録とは次元が違いますよ」

王は、７５６号を記録した翌日に放った７５７号を詳細に記憶していた。イチローにも同じ質問をしてみた。ジョージ・シスラーの持っていた２５７本のシーズン最多安打を塗り替えた２５８本目のヒットを放った次の、２５９本目のヒットを覚えているかと——。

「……内野安打です。覚えてますよ。記録を達成した次の打席は、０—３から一発狙ってセンターフライだったんですけど、その次にはショートに内野安打を打ちました」

王が打った７５７本目のホームランは世界新記録である。イチローの打った２５９本目のヒットも世界記録の更新だ。しかし世の中は７５６号と２５８本は記憶していても、７５７号と２５９本は覚えていない。一人旅を堪能するには、そういうギャップを意識の外に追いやる必要が生じる。イチローはメジャー史上初の９年連続２００安打を成し遂げたとき、「他人との戦いから解放された」「自分の中の何かと戦うことは当然」と語っていた。

「人と争わなくて済むなんて、最高じゃないですか。それって越えた人だけの特権ですから。王監督だって、どう考えても自分に厳しい人なんだから、そんなことに影響されるわけがないんです。よく、刺激がないんじゃないかとか、寂しいんじゃないかと訊かれますけど、そんなこと、まったくない（笑）。刺激なんて、自分の中から出てくるんですよ。だって、野球が大好きなんですから。ここは間違いなく、王監督と僕の相通じるところだと思います。大好きってみんな簡単に言うけど、そう見えない。楽しそうに見えないんです。もちろん、グラウンドで笑っているから楽しいということではないし、プレッシャーに苦しんでいるから楽しくないということでもない。いろんなことを犠牲にして、そこに至っているのは、自分を野球に捧げてきたからです。グラウンドの上でぶっ倒れてもいいと思える覚悟があるかどうか。実際、去年、胃潰瘍になったときも、僕は最初から行くつもりでした。あのときは立っているのもやっとの状態でしたけど、それでも最初から行きたかった。大好きだからこそ、その覚悟ができる。王監督にも僕にも、野球のために命を削る覚悟があるということです」

イチローから「命を削る」などという言葉を聞くと、ドキッとする。華麗に、悠々と野球をしているようにしか見えないイチローの覚悟は、王の心に共鳴する。

「イチロー君はストイックでしょう。時代はどんなに変わっても、何かを目指して、一本の道を、周りの人とは違うスピードで、違う感覚の世界に住んで、どんどん突き進んでいく人というのは、必ず出てくるんです。そういう人に共通しているのは、ストイックだし、マゾ的な要素を持ってるところ。自分自身をいじめるところへ身を置くことで快感を得られる。彼もそうでしょ？　他人がどう思っても、自分に必要なことなら、どんなことでもやらなイカンということになる。僕だって、ありますよ。自分をいじめられるというのは、うまくなりたいからです。そうしないと打てない、勝てないと思うから、自分をいじめ抜く。野球以外では僕も彼もS的かもしらんけど（苦笑）、仕事ではMだというのはいいことじゃないかな。自分に勝つために自分をいじめて、自分と勝負できるというのはどの世界でも必要なことだと思いますね。ムチで叩いてくれとは言わんけどね（笑）」

「えっ、僕がM？　いったい、監督は何を指してそう仰っているのでしょう（笑）。僕は自分を追い込むことは基本、しませんよ。僕にはそれで続けられる能力は備わっていないですから、常に気持ちのいいことしかしないというのが僕の基準なんです。でも、SとMの関係で言うなら、したたかなのはマゾのほうです。一般的にはSのほうが強い印象でしょ？　でも実際、誘導しているのはMなんです。Sは強いと勘違いさせられて、Mにいいように扱われている、というのだが真理なんですよ。打席でもそうです。僕は相手の選手によく、『なぜ簡単にヒットだ打てるんだ』と不思議がられるんですけど、それってちょっといいな、と思います。おそらく、僕の動きって、いろんなことが簡単に見えているんですよ。相手も、攻めていたはずなのに、いつの間にかやられている。それは、やっかいですもんね。だから、いつの間にか導かれてるという意味で、僕はMでいたい。相手を僕のほうに導く。相手のことを読んで結果を出しても、そこに芸術性はないんです。相手を知らず知らずのうちに誘導するというのは、読むという次元を超えた、SM的な芸術なんです」

届かなければゼロにリセットされてしまう他人との戦いから解放され、今年のイチローは、立つステージが変わった印象がある。そう思ったのは、スプリング・トレーニングの初日に口にした、こんな言葉を聞いたからだ。

「去年、いろんなことを経て、目標を達成して、新しい僕のスタートというか、ようやく礎《いしずえ》みたいなものができた感覚を持てました。だから、初めて力を抜けるんじゃないかという期待を持っています。これまでは、力を入れっぱなしでしたからね」

「新しい僕」――この言葉の真意はどこにあるのだろうか。

「力が抜けることで、人とは違う雰囲気が出るんじゃないかなって。それができれば見てる人は楽しいはずです。『アイツ、次元が違うな』というふうに、きっとなる。それが僕の目指すところです。数字に縛られているとギスギスして見えるし、そういう雰囲気は出ない。数字から解放されて初めて、それを出せるようになるんです。もちろん数字ありきですよ。凄い数字を残せる選手はいても、そんな雰囲気を出せる選手というのは、なかなかいません」

笑うわけでも厳しいわけでもなく、穏やかに、しかし隠した牙はより鋭く――去年、イチローが「打撃に関してこれでよしということはない」「でも今の自分が最高」という、二つの矛盾を抱えていると話したことがある。どれだけの数字を叩き出しても終わることのない戦いを、見る人に戦いだと感じさせないところに、イチローは新しい境地を見出そうとしているのかもしれない。その言葉をぶつけたら、王はこんなふうに言った。

「だから僕がいつも考えていたのは、今の自分は〝何年型〟だということでした。つまり、今年のイチロー君のバッティングは〝2010年型〟なんです。2009年と同じであるはずがないし、今年の2010年型が最高でいい。でも去年は、2009年型が最高だった。要するに、変化を受け入れて、いつも、今の自分は最高だと思えるところへ自らをもっていけばいいわけです。人間は、歳を重ねれば肉体も変化するし、決して同じじゃない。それでも、その変化を受け入れていくことで自分の中に幅が生まれるんです。それが次元の違いにつながっていくんじゃないかな」

1973年10月22日、甲子園ではジャイアンツがタイガースを下してV9を達成した。そして王は、自身初の三冠王を確定させた。

その日、愛知県でイチローが生まれた。33も歳の離れた二人。もう一度、あの日の丸に包まれたときのような濃密な時間を、二人っきりで過ごしてみたらどうだろう。

「そうだね。バットを持ってるときと、それ以外の違いが僕には人一倍あるほうだけど、イチロー君もずいぶん違うよね。バットマンのイチローは自分一人の世界に入っていくけど、普段の彼は明るいし、はしゃいでみたり饒舌だったり……もう少し時間を共有できるようになったら冗談も言えるだろうし、下ネタだって話せるようになるでしょ（笑）」

「王さんと下ネタですか（笑）。僕はどんな話をしてみたいというわけでもないんです。でも、一緒にいたら話は尽きない。王貞治とイチローというのは、そういう感じじゃないかと思います。カウンターで並んで美味いもん食べて、『じゃあ、また』なんて、いいじゃないですか。これだけ年齢差があるのに、そういうイメージを持てる人なんていないんです。すごいと思わされる人に共通してることって、目線が変わらないことなんです。降りていくという発想がない。人の話をしっかりと聞けるし、どんな人の前でも変わらない。しかも、意図的にそうしているわけじゃないんです。自然にそうなっている。すべてが自分の中から湧き出てきてるんです。それは、魅力的ですよ」

粋な店のカウンターに並んで、二人っきりで杯《さかずき》を交わす。王とイチローはまたも喧噪から切り離されるだろう。そのとき、彼らにしか持ち得ない〝熱〟が、ごく限られた空間を作り出す。あの、日の丸のように——。

石田雄太（いしだ ゆうた）

1964年愛知県生まれ。青山学院大学文学部卒。NHKに入局し「サンデースポーツ」等のディレクターを務める。1992年に独立後、執筆活動とともにスポーツ番組の構成・演出を行う。主著に『イチロー、聖地へ』『イチローイズム』『桑田真澄ピッチャーズバイブル』『松坂大輔メジャー物語』『声―松坂大輔メジャー挑戦記』『屈辱と歓喜と真実と―"報道されなかった"王ジャパン121日間の舞台裏』『こんなプロ野球が見たい』等。主な担当番組に「イチローvs松井秀喜〜夢バトルSP」「カリスマ白書〜桑田真澄と清原和博」「ライバル伝説〜江川卓×西本聖」等がある

文春新書

749

イチロー・インタヴューズ

2010年（平成22年）4月20日　第1刷発行

著　者　石田雄太
発行者　飯窪成幸
発行所　株式会社 文藝春秋

〒102-8008　東京都千代田区紀尾井町3-23
電話（03）3265-1211（代表）

印刷所　理想社
付物印刷　大日本印刷
製本所　大口製本

定価はカバーに表示してあります。
万一、落丁・乱丁の場合は小社製作部宛お送り下さい。
送料小社負担でお取替え致します。

ISBN978-4-16-660749-5

◆こころと健康・医学

こころと体の対話　神庭重信
人と接するのがつらい　根本橘夫
傷つくのがこわい　根本橘夫
依存症　信田さよ子
不幸になりたがる人たち　春日武彦
17歳という病　春日武彦
自己チュウにはわけがある　齊藤　勇
親の「ぼけ」に気づいたら　斎藤正彦
愛と癒しのコミュニオン　鈴木秀子
心の対話者　鈴木秀子

＊

森林浴はなぜ体にいいか　宮崎良文
男のための漢方　幸井俊高
食べ物とがん予防　坪野吉孝
わたし、ガンです　ある精神科医の耐病記　頼藤和寛
あなたのための　がん用語事典　国立がんセンター監修　日本医学ジャーナリスト協会編著

がんというミステリー　宮田親平
熟年性革命報告　小林照幸
熟年恋愛講座　高齢社会の性を考える　小林照幸
熟年恋愛革命　恋こそ最高の健康法　小林照幸
アトピービジネス　竹原和彦
脳死と臓器移植法　中島みち
「赤本」の世界　山崎光夫
こわい病気のやさしい話　山田春木
風邪から癌まで　つらい病気のやさしい話　山田春木
化学物質過敏症　柳沢幸雄　石川　哲　宮田幹夫
花粉症は環境問題である　奥野修司
睡眠時無呼吸症候群　安間文彦
めまいの正体　神崎　仁
膠原病・リウマチは治る　竹内　勤
薬が効かない！　三瀬勝利
妊娠力をつける　放生　勲
脳内汚染からの脱出　岡田尊司
痩せりゃいい、ってもんじゃない！　森永卓郎　柴田　玲

僕は、慢性末期がん　尾関良二

◆食の愉しみ

フランスワイン
愉しいライバル物語　山本　博
中国茶 風雅の裏側　平野久美子
中国茶図鑑［カラー新書］　工藤佳治 兪向紅 写真・丸山洋平
チーズ図鑑［カラー新書］　文藝春秋編
ビール大全　渡辺　純
トマトとイタリア人　内田洋子 S・ピエールサンティ
発酵食品礼讃　小泉武夫
牡蠣《かき》礼讃　畠山重篤
鮨屋の人間力　中澤圭二
コンビニ ファミレス
回転寿司　中村靖彦
牛丼 焼き鳥 アガリクス　中村靖彦
毒草を食べてみた　植松　黎
実践 料理のへそ!　小林カツ代
一杯の紅茶の世界史　磯淵　猛
歴史のかげにグルメあり　黒岩比佐子

◆スポーツの世界

ホームラン術　鷲田　康
プロ野球のサムライたち　小関順二
甲子園球場物語　玉置通夫
宇津木魂　宇津木妙子
ゴルフ 五番目の愉しみ　大塚和徳
少年サッカーからW杯まで　泉　優二
マラソンランナー　後藤正治
フィギュアスケートの魔力　梅田香子 今川知子
ロイアル・ヨットの世界　小林則子
オートバイ・ライフ　斎藤　純
スポーツマンガの身体　齋藤　孝
力士《ちからびと》の世界　33代 木村庄之助
親方はつらいよ　高砂浦五郎

(2009.4) G

文春新書好評既刊

小関順二
プロ野球のサムライたち
野村、星野、落合、堀内……プロ野球を沸かせた名選手・名監督たちの性格と戦術は、ドラフトから新人時代を振り返ればよくわかる
387

梅田香子《ようこ》　今川知子
フィギュアスケートの魔力
華麗な競技の世界を、村主章枝、荒川静香、安藤美姫ら現役スケーターのインタビューも交え描く。ジャンプの種類も写真で一目瞭然
413

高砂浦五郎
親方はつらいよ
強い横綱が模範的な弟子とは限らない。しかし、押さえつけるだけじゃ育たない。親方就任から朝青龍騒動まで、秘話満載の高砂流親方論
643

宇津木妙子
宇津木魂
女子ソフトはなぜ金メダルが獲れたのか
北京五輪で金メダルを獲得した女子ソフトボール。アテネ五輪まで日本代表チームを率いた「育ての親」が、世界一の選手育成法を語る
666

大畑大介
不屈の「心体《しんたい》」
なぜ闘い続けるのか
W杯目前に両足を相次ぎ襲ったアキレス腱断裂を始め、数々の試練に見舞われてきた「ラグビー界の至宝」は、なぜ走り続けられるのか
732

文藝春秋刊